R. Waterloo -

PHILIPPE BERTAULT
Docteur ès Lettres

BALZAC

L'HOMME ET L'ŒU

BOIVIN ET Cⁱᵉ

BALZAC

L'HOMME ET L'OEUVRE

LE LIVRE DE L'ÉTUDIANT

Collection fondée par PAUL HAZARD, de l'Académie française, Professeur au Collège de France.

Dirigée par RENÉ JASINSKI, Professeur à la Sorbonne.

———

EN PRÉPARATION :

LE LIVRE DE L'ÉTUDIANT

COLLECTION FONDÉE PAR PAUL HAZARD

BALZAC

L'HOMME ET L'ŒUVRE

PAR

PHILIPPE BERTAULT

Docteur ès-lettres.

BOIVIN & Cⁱᵉ, RUE PALATINE, PARIS

MÉMORANDUM BIOGRAPHIQUE

La vie de Balzac étant fonction de son œuvre, nous devrons, au cours de cette étude, mettre certains faits en relief, pour éclairer la genèse et la composition de *La Comédie Humaine*. Ce bref mémorandum rappellera certains événements qu'il est utile de posséder pour bien connaître le caractère de l'auteur, et suivre le mouvement de sa destinée.

Honoré de Balzac, né à Tours, le 20 mai 1799, est élevé avec sa sœur Laure, chez une nourrice, dans un faubourg, à Saint-Cyr. A moins de 5 ans, il fréquente l'externat Leguay à Tours. Du 22 juin 1807 au 22 avril 1813, il est pensionnaire au Collège oratorien de Vendôme, pour lors dirigé par deux anciens religieux qui s'étaient sécularisés à la Révolution. Pendant ces six années il ne revint pas une seule fois dans sa famille, et ne reçut qu'une seule visite de sa mère. Il eut un accès d'exaltation mystique, au moment de sa première communion. (Cf. *Louis Lambert*).

1814. — Ses parents s'installent à Paris. Honoré y poursuit ses études d'abord à la pension du royaliste Lepître, puis à l'Institution Sganzer et Beuzelin.

1816-1819. — Il mène de front ses études de droit, un stage chez un avoué Me Guyonnet de Merville, le Derville de *La Comédie Humaine*, puis chez un notaire, et il suit des cours de littérature en Sorbonne.

1819. — Reclus dans une mansarde de la rue Lesdiguières, il s'essaie aux travaux littéraires et noircit du papier sans grand succès. (Cf. *Louis Lambert, La Peau de Chagrin. Le Lys dans la Vallée*).

1820. — Il réintègre le foyer familial qui avait été transporté à Villeparisis. Il y séjourne par intermittence, car les Balzac avaient pris un pied-à-terre à Paris. Dès 1822, il s'est épris d'un amour passionné pour Mme de Berny, née Louise-Antoinette-Laure Hinner, fille d'un harpiste de la Reine Marie-Antoinette, dont elle est la filleule. Le ménage de Berny passait la belle saison à Villeparisis. Laure avait vingt-deux ans de plus qu'Honoré. Cette femme fut pour lui une incomparable amie. Elle eut sur sa formation morale et littéraire une profonde influence, lui témoigna un immense dévouement, un amour sans bornes, jusqu'à sa mort survenue le 27 juillet 1836. Elle entoura son ami d'une chaude tendresse. Sans les conseils de *la Dilecta* on peut douter de ce qu'aurait produit le tempérament indiscipliné de **Balzac.**

1821-1824. — Il compose en collaboration et publie, sous des pseudonymes plus ou moins collectifs, ses premiers romans, rassemblés sous le titre d'*Œuvres de Jeunesse*. Il en reconnaîtra plusieurs en 1836.

Dès 1819 il s'était lié d'une noble amitié avec une amie de pension de sa sœur Laure ; Zulma Tourangin, mariée au Commandant d'artillerie Carraud. Cette femme sage et vertueuse eut sa part d'influence sur l'écrivain, qui fut souvent à la Poudrerie d'Angoulême, puis à Frapesles, près d'Issoudun, l'hôte du ménage Carraud.

1825-1827. — Tentative de capter la richesse par les affaires : éditeur, puis imprimeur et fondeur de caractères, Balzac est acculé à une liquidation judiciaire qui cause la ruine de sa famille et pèsera sur toute sa vie. Il retourne à la littérature. Balzac a une liaison avec la Duchesse d'Abrantès et collabore de très près à ses *Mémoires*.

1829. — Mort du père de Balzac. *Les Chouans*, composés en partie sur place à Fougères, valent à Balzac une certaine notoriété. Brouille avec Latouche. Succès à scandale de la *Physiologie du Mariage*.

1830. — Balzac collabore à de nombreux journaux. Il commence à paraître dans plusieurs salons, Princesse Bagration, Comtesse Merlin, Baron Gérard, Sophie Gay, Madame Récamier, et aussi chez Olympe Pélisser, une demi-mondaine. Les *Scènes de la Vie Privée* lui apportent la célébrité. Il séjourne, de juin à septembre, avec *La Dilecta*, à la Grenadière, Saint-Cyr, près Tours ; ensemble ils descendent la Loire sur un vapeur jusqu'à Saint-Nazaire, puis le couple gagne Le Croisic.

1831. — Grand succès de *La Peau de Chagrin* qui paraît au mois d'août. Accès de dandysme qui atteindra son point culminant en 1832. Folie de luxe ; décors et ameublement magnifiquement renouvelés dans l'appartement de la rue Cassini, qui s'agrandit. Dépenses somptuaires de tout genre ; deux chevaux, un tilbury, personnel domestique en livrée ; loge à l'Opéra, recherches vestimentaires dues à l'habileté du célèbre tailleur Buisson qui figurera dans *La Comédie Humaine*. Balzac travaillait surtout la nuit, en abusant du café, vêtu d'un froc de moine, en cachemire blanc à capuce : il continuera toujours cette habitude.

1832. — Les ambitions politiques se font jour : candidatures de député avortées ; avortés aussi, des projets de mariage. Adhésion formelle au parti néo-légitimiste que dirigent le duc de Fitz-James et Laurentie. *La Belle Impéria*, le premier dixain des *Contes Drolatiques*, paraît, excitant la gaîté des uns, scandalisant les autres. Depuis quelques mois il s'est épris de la belle marquise de Castries, nièce du Duc de Fitz-James, il la rejoint en août à Aix-les-Bains, la suit à Genève : rupture lamentable du beau rêve au début d'août. *La Duchesse de Langeais* (1833-1834) sera la vengeance de l'amoureux éconduit par une coquette ; *Le Médecin de Campagne* (1833), la recherche d'une consolation. Le 7 novembre, première lettre anonyme de *l'Étrangère* polonaise, la Princesse inconnue.

1833. — Celle-ci continue d'écrire des déclarations frémissantes d'admiration au romancier qui répond longuement et qui s'exalte à l'idée de ce nouvel et bel amour. Balzac fréquente de nombreux salons de l'aristocratie. *Eugénie Grandet*, l'œuvre classique par excellence de Balzac, paraît. Le 25 septembre, rencontre de Balzac et de son *Etrangère*, la comtesse Eveline Hanska, en Suisse, à Neufchatel : il passe cinq jours auprès d'elle et de son mari. Nouvelle réunion des deux amants à Genève, de Noël 1833 au 8 février 1834.

1834. — Année de travail « enragé » et « exorbitant » d'où les mondanités ni le faste ne seront exclus. 23 mars, Balzac est admis à présenter ses hommages à la comtesse Apponyi, femme de l'ambassadeur d'Autriche ; le 8 mai, il assiste à une soirée de l'ambassadrice qui le présente quelques jours plus tard à la comtesse Guidoboni-Visconti, née Sarah Lovell, « une bacchante blonde » ; une liaison devait s'ensuivre. Echec du *Médecin de Campagne* au prix Monthyon, attribué par l'Académie à une demoiselle, auteur du *Petit Bossu* et de *La Famille du Sabotier*, qui l'emportent sur *Le Médecin de Campagne*. Août 1834, commande de la fameuse canne à pommeau d'or semée de turquoises. Grand dîner offert pour Olympe Pélissier, alors maîtresse de Rossini, à ce dernier, à Nodier, Sandeau, etc... Celui-ci abandonné par George Sand, est recueilli par Balzac, rue Cassini, comme collaborateur, et Balzac prend Edmond Werdet, pour éditeur ; il en avait déjà six autres. Fin septembre-mi-octobre : séjour à Saché, chez M. de Margonne, pour travailler à *Séraphîta* et au *Père Goriot*. Mondanités : il va à l'Opéra, aux Italiens. *La Recherche de l'Absolu* paraît, ainsi que *Le Père Goriot*. Ce dernier roman est le chef-d'œuvre du génie où, pour la première fois, est appliqué le retour systématique des personnages.

1835. — Au printemps, Balzac s'installe rue des Batailles, à Chaillot, dans un appartement secret qu'il loue sous le nom de « Veuve Durand ». Il veut fuir les créanciers et éviter de faire des jours d'écrou à l'*Hôtel des Haricots*, pour ses manquements de présence à la Garde Nationale, enfin recevoir la comtesse Guidoboni-Visconti à son aise. Il ne craindra plus les importuns et travaillera en paix. Il fait aménager un somptueux boudoir dont le décor sera décrit dans *La Fille aux yeux d'or*. Pour parvenir jusqu'à lui, les rares personnes admises devaient posséder des mots de passe tels que « La saison des prunes est arrivée », etc... Il travaille jour et nuit, parfois seize heures de suite.. Il avait fait accrocher sur la grille de la rue Cassini, *Appartement à louer*, tout en y laissant sa cuisinière et Sandeau. Le 9 mai, départ de Balzac pour Vienne, où il retrouvera Mme Hanska et son mari. Le 20 mai, il est reçu par Metternich. Il rentre à Paris au début de juin. Son frère Henri, revenu de l'Ile Saint-Maurice avec sa femme, cause des soucis à Balzac. Séjour à la Bouleaunière, auprès de *La Dilecta*, atteinte d'un anévrisme au cœur. En novembre-décembre, *Le Lys dans la Vallée* paraît en livraisons dans la *Revue de Paris*. Balzac offre à déjeuner à ses deux secrétaires, MM. de Belloy et de Gramont, et à Nettement. On servit plus de quatre fois deux plats, l'un rempli de côtelettes, l'autre d'huîtres.

1836. — Fondation de la *Chronique de Paris* : elle cause beaucoup de soucis et d'embarras financiers à Balzac. Juillet : premier voyage mouvementé en Italie pour défendre les droits des Guidoboni-Visconti dans une affaire d'héritage. Balzac part en compagnie d'un *petit page*, « Marcel », jeune femme habillée en élégant cavalier ; c'est Mme Caroline Marbouty. Le couple séjourne un mois à Turin, il est fêté par la haute société

A son retour, Balzac apprend la mort de Mme de Berny, *La Dilecta*. Une correspondance s'établit entre Balzac et une inconnue qu'il ne verra jamais, Louise. Le peintre Louis Boulanger fait son portrait en froc blanc, que Balzac enverra aux Hanski en 1837, au château de la Wierzchownia. Fin novembre, séjour de dix jours à Saché, chez Mr de Margonne ; visite à Talleyrand, au château de Rochecotte, chez la Duchesse de Dino.

1837. — Voyage de Balzac à Milan, toujours pour les
intérêts des Visconti. Arrivé le 13 février, il est très
fêté pendant son séjour, par l'aristocratie milanaise.
Visite à Manzoni. Il part pour Venise, s'embarque à
Gênes le 8 avril, puis de Livourne se rend à Florence.
Il rentre à Paris le 3 mai. — Poursuivi par des huissiers,
à cause d'une dette à Werdet, il se cache le 17 juin chez
les Guidoboni-Visconti dans leur hôtel des Champs-
Elysées, afin de pouvoir travailler tranquille. Il n'échappe
au tribunal que par un prêt de Mme Visconti. Séjour
à Saché en août. Acquisition d'une bicoque et d'un
terrain, *Les Jardies*, entre Sèvres et Ville-d'Avray.
Il agrandira peu a peu la propriété et fera construire
une villa. Ce sera l'occasion de déboires innombrables
et de désastres financiers et catastrophiques. L'*Histoire
de la Grandeur et de la Décadence de César Birotteau* paraît.

1838. — Séjour à Frapesles chez les Carraud, d'où il
va faire une visite à Georges Sand, à Nohant; il y reste
six jours.

20 mars-6 juin, voyage en Sardaigne pour explorer
d'anciennes mines argentifères, autrefois exploitées par
les Romains. Un négociant gênois lui en avait parlé
l'année précédente. Balzac rêvait de créer une société
pour les remettre en activité et s'enrichir. Marseille-
Toulon-Ajaccio, puis Alghiéro en Sardaigne; visite des
emplacements des mines d'Argentéria et de la Nurra.
Retour à Paris par Milan. Ce projet n'était pas chimé-
rique, puisque ces mines techniquement exploitées
aujourd'hui, sont des affaires brillantes, ayant enrichi
leurs propriétaires. Première lettre d'Hélène de Valette
qui habitait près de Guérande. On incline à croire que
Balzac en 1838, en compagnie de cette femme, visita
Guérande, le Croisic, le bourg de Batz où il avait excur-
sionné déjà en 1830, avec Mme de Berny. Il placera
dans ces lieux l'intrigue de *Béatrix* (1839). Il abandonne
ses deux appartements, de la rue de Cassini et de la rue
des Batailles, pour se fixer aux *Jardies*, avec le ménage
Guidoboni-Visconti.

1839. — Affaire Peytel. Un notaire, Peytel, accusé d'avoir assassiné avec présomption, sa femme et son domestique, avait été jugé à Bourg et condamné à mort. Balzac l'avait connu en 1831 alors qu'il collaborait au *Voleur*, journal dont Peytel était co-propriétaire. L'affaire fut rappelée en cassation ; Balzac, accompagné de Gavarni, vient à Bourg s'entretenir avec le condamné. Voulant démontrer l'innocence du notaire, l'écrivain publie un *Mémoire sur le Procès Peytel* ; peine perdue, Peytel fut exécuté le 28 octobre 1839. En juillet, Victor Hugo déjeune aux *Jardies*, avec Gozlan : Balzac songeait à se présenter à l'Académie Française.

1840. — *Vautrin*, un drame de Balzac, est joué au théâtre de la Porte Saint-Martin, le 14 mars. C'est un fiasco. Le 16 mars, la pièce est interdite par le Ministre de l'Intérieur. L'acteur Frédéric Lemaître était costumé et grimé de telle sorte qu'avec sa perruque, il ressemblait au roi Louis-Philippe.

Balzac lance la *Revue Parisienne*, dont il assume à lui seul toute la rédaction. Elle eut trois numéros : 25 juillet, 25 août et 25 septembre 1840 ; deux articles dont on parle encore, sur l'*Histoire de Port-Royal* de Sainte-Beuve, l'autre d'éloges enthousiastes sur *La Chartreuse de Parme* de Stendhal. Balzac quitte *les Jardies*, et à l'automne prend un logement rue Basse à Passy. Sa mère dans la détresse vient habiter avec lui pendant quelques mois ; ils se quittent excédés l'un de l'autre. Ventes des *Jardies* : cette propriété lui avait coûté 90.000 francs, il n'en retirait que 17.500 francs.

1841. — A la fin de mai, Balzac est assez gravement malade, il travaille avec peine. Le 2 octobre, il passe traité pour l'édition de *La Comédie Humaine*, avec un consortium de libraires, Furne et Cie, Dubochet, Hetzel et Paulin.

1842. — Balzac apprend en janvier une grande nouvelle : la mort du comte Hanski, survenue le 10 novembre précédent. 19 mars, fiasco à l'Odéon de son drame *Les Ressources de Quinola*. 16 avril, la *Bibliographie de la*

France annonce la mise en vente de la première livraison de *La Comédie Humaine*. Juillet, l'*Avant-Propos* est
publié dans la dernière livraison du premier volume.

1843. — Du 29 juillet au 3 novembre, voyage à Saint-
Pétersbourg où il rencontre Mme Hanska. Le retour
se fait à petites journées par Berlin, Potsdam, Leipzick,
Dresde, Liège, Bruxelles ; il visite villes et musées.
Il est atteint d'arachnitis, inflammation d'une des trois
membranes qui composent les méninges. Le Docteur
Nacquard le soigne. Le 3 décembre, David d'Angers
achève le buste de Balzac. Celui-ci cède plus que jamais
à sa *bric-à-bracomanie*.

1844. — Il travaille beaucoup malgré des symptômes
inquiétants qui trahissent une extrême fatigue. Lirette
Borel, une Suissesse, institutrice d'Anna, fille de Mme
Hanska, loge chez Balzac à Passy, avant d'entrer au
noviciat de la Visitation, où elle prononce ses vœux
sous le nom de Sœur Dominique, le 2 décembre 1845,
Balzac assiste à la cérémonie ; il avait négocié avec un
vicaire général, l'Abbé Eglé, l'entrée de Lirette au couvent. Ardente correspondance avec *L'Etrangère*.

1845-46. — Le 1er mai, Balzac rejoint Mme Hanska
à Dresde, où séjournent avec elle sa fille Anna, ainsi que
le fiancé de celle-ci, le comte Georges Mniszeck. Ils
prennent des surnoms : Bilboquet pour Balzac, Atala
pour Eveline, Zéphirine pour Anna, Gringalet pour
Georges. Ils s'intitulent la joyeuse troupe des *Saltim-
banques*. Balzac repart avec Mme Hanska et sa fille pour
l'Italie. Séjour incognito, pendant un mois, d'Eveline et
de sa fille, rue Basse, à Paris. Voyage du trio à travers
la France, la Hollande et la Belgique. Jalousie de Mme
de Brugnol, — Louise Breugnot de son vrai nom, — ser-
vante-maîtresse de Balzac, surnommée par lui « La
Chouette » ; elle vole les lettres de Mme Hanska à Balzac.
Le 28 septembre 1846, achat par Balzac d'une maison
située rue Fortunée, *La Chartreuse Beaujon*. Le 13 octobre, Balzac assiste, à Wiesbaden, au mariage de Georges
Mniszech et d'Anna Hanska. Naissance, à Dresde, de

Victor-Honoré, mort-né, fils adultérin de Balzac et d'Eveline Hanska, pendant que Balzac est toujours à Paris.

1847. — Février-avril, séjour de Mme Hanska à Paris dans un appartement meublé rue Neuve-de-Berry. Gros soucis de santé et d'argent ; Balzac dépense beaucoup pour meubler sa maison de la rue Fortunée, où il compte s'installer après son mariage avec Eveline. Chantage de *La Chouette*, la Brugnol, qui menace de livrer à la publicité les lettres de Mme Hanska à Balzac. Il se sent épuisé physiquement et moralement. Le 28 juin, dans la nuit, il rédige son testament. Il se brouille avec Emile de Girardin. En septembre 1847, premier séjour à Wierzchownia chez la comtesse Hanska. Il part le 5 septembre 1847. Après neuf jours de voyage, il arrive littéralement mort de fatigue. En novembre séjour à Kiev ; il rentre à Paris le 16 février 1848.

1848. — Il assiste écœuré aux émeutes du 21 et 22 février et au sac des appartements royaux au Louvre. 29 avril, échec de sa candidature à l'Assemblée Constituante ; 25 mai, on joue son drame, *La Marâtre*, au Théâtre historique, c'est un succès. 28 mai-7 juillet, dernier séjour de Balzac à Saché chez M. de Margonne. 8 juillet, il assiste à l'enterrement de Chateaubriand dont il songe à briguer le fauteuil à l'Académie. L'hypertrophie du cœur dont il avait beaucoup souffert à Saché empire. Dernier séjour de Balzac à Wierzchownia. Il quitte Paris vers la mi-septembre.

1849. — Pendant l'hiver 1848-1849, passé en Ukraine, il est atteint d'une crise nouvelle d'hypertrophie du cœur. 11 janvier, échec de Balzac à l'Académie où il briguait le fauteuil de Chateaubriand. M. de Noailles est élu par 21 voix, Balzac en a eu 2, celles de Victor Hugo et Lamartine. Le 18, nouvel échec au fauteuil de Vatout ; on lui préfère M. de Saint-Priest. Au troisième tour, Balzac n'a aucune voix.

1850. — Janvier, l'état de santé de Balzac s'aggrave. Malgré cela, au prix de fatigues extrêmes, il accompagne à Kiev Mᵐᵉ Hanska et le couple Mniszech (1850). Pendant que Balzac est en Ukraine, sa mère occupe l'appartement de la rue Fortunée à Paris, veille aux derniers aménagements. Le 14 mars, Balzac et la comtesse Eveline Hanska sont unis dans l'église Sainte-Barbe de Berditcheff, par le sacrement de mariage, que célèbre l'abbé Victor Ozarowski, ami de la famille, délégué par l'évêque de Gitomir ; ce prêtre est un confesseur de la foi. Les deux conjoints s'étaient confessés à lui et communièrent. Balzac est toujours très malade. Au mois de mai, les deux époux se mettent en route vers Paris. Voyage atroce par suite de l'état des routes et des étouffements de Balzac. Ils arrivent le 21 mai devant la maison de la rue Fortunée, mais personne ne leur ouvre la porte ; pourtant il y a de la lumière. Le domestique qui les attendait est devenu subitement fou. Il faut requérir un serrurier pour pénétrer dans le logis amoureusement préparé par Balzac pour sa *Fée du Nord*. Balzac s'alite en arrivant exténué. 31 mai, consultation de plusieurs médecins. 11 juillet, une péritonite se déclare, et le malade souffre atrocement. 12 août, Balzac enfle terriblement, il étouffe et meurt de soif. 18 août, un dimanche, Balzac entre en agonie. Il reçoit l'extrême-onction. A neuf heures du soir, visite de Victor Hugo, qui raconta dans *Choses Vues* son entrevue avec le moribond. Balzac rend le dernier soupir à onze heures et demie. 21 août, obsèques de Balzac à l'église Saint-Philippe-du-Roule. Admirable discours de Victor Hugo au cimetière du Père-La-Chaise.

PREMIÈRE PARTIE

PRÉPARATIONS

———

CHAPITRE PREMIER

LES ORIGINES ET L'ATAVISME

On aime à scruter les traces d'un atavisme. On espère toujours, malgré l'inconsistance de sa loi, retrouver par elles les secrètes influences qui déterminèrent une destinée. Etre le seul de onze enfants, frères et sœurs, à savoir lire et écrire, débuter comme petit clerc chez le tabellion du bourg voisin après avoir gardé les brebis de ses parents, puis planter là sa famille pour obéir à l'appel d'une ambition aussi ardente que le soleil du pays albigeois, partir âgé de seize ans, à pied, gourdin en main et gros souliers ferrés aux pieds, baluchon au dos, sur la grand'route royale qui mène vers Paris ; y être à vingt ans, clerc de procureur ; puis plus tard occuper une place de Secrétaire au Conseil du Roi, telle fut l'odyssée de Bernard-François Balzac, père d'Honoré de Balzac (1).

———

(1) On ne peut s'empêcher de croire que Balzac pensait à son père lorsqu'il rehaussait de ces touches colorées la silhouette de César Birotteau, quittant sa Touraine natale. « Il était le dernier enfant » de la famille. « Lorsqu'à l'âge de quatorze ans César sut lire, écrire et compter, il quitta le pays, vint à pied à Paris chercher fortune avec un louis de sa poche... César possédait alors une paire de sou-

Il était né en 1746, au village de la Nougayrié, en la paroisse de Canezac, commune de Montirat, dans le Tarn (il mourra à Paris en 1829 à quatre-vingt deux ans). N'y avait-il pas dans cette extraordinaire réussite d'un père — qui ne la laissait pas ignorer — de quoi stimuler l'ambition qui brûla le sang du fils ?

Elle fusera chez Honoré en des projets qui visent aux honneurs et aux richesses ; en faconde, surtout dans « le ravissant langage de ces exagérations spirituelles et de cette poésie gasconne particulière à l'amour ». Cette griserie de parole, cette piperie de soi-même, ce bouillonnement de mirifiques espoirs, cette verve imaginative qui embellit et dore l'avenir en dépit de tous les insuccès, tout cela découle de l'ascendance paternelle. Dans ce milieu, parents et enfants, se targuent de rechercher les lumières ; ils se passionnent pour la causerie et la discussion ; « ils vivaient dans un luxe d'idées le plus empressé entre tous qu'on puisse imaginer », prolongeant jusqu'à minuit les soirées où Honoré lisait et déclamait les grands auteurs anciens et modernes. La mère, Mme Balzac, la sœur, Laure, Honoré lui-même l'ont écrit et prouvé dans leur correspondance. Le père agit fortement sur « le moral » de son fils, entre seize et vingt-huit ans, par des entretiens sur la sociologie, la politique, l'histoire, l'ethnologie, le droit, la religion, la physiologie où chacun défendait son opinion avec une chaleur fougueuse. De très bonne heure, Balzac avait

---

liers ferrés, une culotte et des bas bleus, un gilet à fleurs, une veste de paysan, trois grosses chemises de bonne toile et son gourdin de route. Si ses cheveux étaient coupés comme le sont ceux des enfants de chœur, il avait les reins solides du Tourangeau ; s'il se laissait aller parfois à la paresse en vigueur dans le pays, elle était compensée par le désir de faire fortune… ». A noter que Bernard-François Balzac devait son instruction et quelques notions de latin, au curé de Canezac, M. Vialar, dont il était l'enfant de chœur. Il s'était familiarisé avec le style des actes près du notaire de Monestiés, Me Albar. On peut croire qu'avant d'arriver à Paris, il avait travaillé le long de la route, chez quelques officiers publics, pour gagner sa vie et parfaire ses connaissances juridiques. Il passait pour un homme expert en droit coutumier.

saisi l'originalité de son père, noté les thèmes que celui-ci tirait de ses expériences et de ses lectures. On retrouve dans les premiers romans de jeunesse, (*Argow le Pirate*) et dans le courant de *La Comédie Humaine* la silhouette physique comme aussi les théories, les tics, les *dadas* du vieillard. Sa personnalité éclaire celle du fils, en explique plusieurs tendances philosophiques. Il tient de son père « la religion » qu'il professe en sa jeunesse pour Rabelais, Sterne, Rousseau, Voltaire et les philosophes du XVIIIe siècle ; son goût pour la recherche des influences physiologiques, l'eugénisme, l'hérédité, la génération, l'éducation, la longévité ; et par-dessus tout, cette force physique — « *a force of nature* », dira-t-on du fils — qui défiait toutes les fatigues accumulées, et l'énergie morale qui renversait tous les obstacles. Il n'eût pas visé tant de grands projets, « s'il n'avait pas eu tant de confiance en lui », comme son père.

Plusieurs de ces caractères communs se retrouvent à des degrés divers, dans les types de méridionaux dont les audaces, les succès provocants, les chances tapageuses, la « vivacité qui fait marcher droit à la difficulté pour la résoudre », les rires sonores, les exploits bienfaisants, font vibrer de nombreuses pages de *La Comédie Humaine* : Rastignac le petit gentilhomme de Ruffec (*Père Goriot*), Bénassis, fils de bourgeois (*Médecin de Campagne*), le soldat provençal (*Une Passion dans le Désert*), Théodore de la Peyrade (*Les Petits Bourgeois*), Paul de Mannerville (*Le Contrat de Mariage*), Gazonal (*Les Comédiens sans le savoir*), les Lestrade, les Maucombe (*Mémoires de Deux Jeunes Mariées*), etc... Selon Balzac, la « constitution de cette race mériterait un soigneux examen de la part de la science médicale et de la physiologie philosophique ». Le cas de son oncle, Louis Balssa, (véritable orthographe du nom familial), guillotiné en 1819 à Albi, pour assassinat passionnel — Honoré avait vingt ans — donna lieu, dans la famille, à des échanges de réflexions : il y avait là matière à examen physiologique. D'après Honoré, la physiologie est la grande explicatrice du réel. Son père avait été le premier à lui enseigner et démontrer ce principe. Sans aucun doute, Balzac, dans l'édition préoriginale de la *Physiologie du Mariage* (1826) utilisa de nombreuses observations et réflexions qui lui avaient été communiquées par son père.

D'après Balzac, les miracles du hasard auquel on doit les grands hommes restent, « entre tous les mystères de la génération, le plus inaccessible à notre ambitieuse analyse moderne ». C'est en tout cas Bernard-François Balzac qui brisa la cangue populaire où sommeillait le génie. On songe à Renan, à Veuillot, à Péguy qui parlèrent avec émotion de leurs ancêtres inconnus. Jamais d'échos pareils chez Balzac. Il s'empressa d'effacer le surnom, *L'Albigeois*, que les siens lui avaient donné. Jamais il n'éprouva le besoin de venir respirer l'odeur de cette glèbe où ses grands-pères s'étaient exterminés, pour leur faire hommage de sa grandiose réussite. Il optera pour les grands de ce monde, s'efforcera de pénétrer dans leur sphère. Il se laissera gagner par leur fatuité, et il usurpera les armoiries des Balzac d'Entragues. Il se fera le peintre de l'aristocratie d'où viendront en grande majorité ses créatures et leurs modèles. Il ne considérera les paysans qu'en fonction du seigneur châtelain et des majorats. L'exagération romantique faussera sa vision : paysans et paysannes lui apparaîtront comme des êtres primitifs dont les instincts rivés à la terre, restent ceux du « sauvage » et du bestial, à quelques exceptions près, et infimes. Ce réalisme brutal, sévère, partial, injuste, assombrira certaines pages dans *Le Médecin de Campagne*, *Le Curé de Village*, *Les Paysans*. Aux yeux de certains lecteurs, d'autres silhouettes se profilent courbées sur de maigres champs, en d'autres horizons. L'on pense au Maréchal de Montcornet des *Paysans* : il « oublia volontairement » qu'il était fils d'un ouvrier du Faubourg Saint-Antoine. Balzac connut cette réaction de vanité dédaigneuse à l'égard de ses grands-parents, oncles et cousins du village de la Nougayrié.

La mère de Balzac, Anne-Charlotte-Laure Sallambier, appartenait à la bourgeoisie parisienne. Son père était un haut fonctionnaire des vivres ; son cousin, un brodeur-passementier et drapier, établi dans le Marais à l'enseigne de la *Toison d'Or*. Elle avait dix-huit ans quand Bernard-François Balzac, quinquagénaire et féru d'eugénisme, l'épousait, Elle était belle, élégante et richement dotée. Le nouveau foyer où naquirent et grandirent quatre enfants, Honoré, l'aîné, et Henri, deux filles, Laure et Laurence, ne fut point un modèle des vertus familiales, comme on pouvait le prévoir d'une union aussi mal assortie. « La fortune » — « la grande fortune » — aujourd'hui est tout », c'était la parole favorite de la mère. L'avenir doré, l'avidité pour l'argent, le goût des luxueuses fantaisies, hantèrent de bonne heure les rêves d'Honoré. Si l'on en croit ses aveux, comme aussi ceux de Fessart, un ami de la famille, Mme Balzac ne fut pas très tendre pour son fils aîné, « l'enfant du devoir et du hasard », tandis qu'elle couvrait de « caresses folles », le cadet, « l'enfant de l'amour », l'adultérin, le préféré. Rebuté par la « froideur maternelle », Honoré en comprit assez tôt la cause. Il la jugea sévèrement, dans ses terribles confidences aux trois plus chères amies, Mmes Zulma Carraud, de Berny, Hanska. (Cf. *Lettres à l'Etrangère*, 1842-1848, en particulier 19 juin 1948). Comme une vieille plaie, l'acuité de cette peine secrète se réveilla souvent ; son amertume transparaîtra, en claires allusions, dans *Le Centenaire, Jane la Pâle, La Grenadière, La Femme de Trente ans, Le Lys dans la Vallée*. Quand il sait les comprendre, le lecteur en éprouve un choc ; le récit fictif en devient plus émouvant. Aussi la mésentente ne cessa ses ravages entre Mme Balzac et son fils. Elle avait d'autres causes : la nervosité et la susceptibilité de celle-là. une excessive originalité dont celui-ci n'était point dépourvu. « Nous sommes de fameux originaux dans la famille »,

devait-il écrire. Et puis il y eut la question d'argent qui
les riva l'un à l'autre. Créancier de sa mère qu'il avait
en grande partie ruinée par sa faillite d'imprimeur, cette
dette les vouait à des récriminations mutuelles qui ne
finirent jamais : elle pour « recevoir un morceau de pain »,
lui pour renouveler ses promesses d'acquittement jamais
remplies et colorer ses subterfuges dilatoires.

On a dit de toutes ces misères qu'elles avaient eu pour
conséquences certaines figures maternelles, inférieures,
de *La Comédie Humaine*. Il y en a d'admirables comme
Mᵐᵉ Birotteau, Lady Brandon, Mᵐᵉ Hochon, Mᵐᵉ Sauviat. Il y en a qui sont franchement odieuses comme
la marquise d'Aiglemont. La diversité n'est-elle pas un
heureux effet de l'art et de la vie ? On constate cependant,
dans les portraits maternels de Balzac, des touches
maladroites, fausses : J. de Maistre, Victor Hugo, Lamartine ne commettent pas ces gaucheries.

Les *Mémoires de deux Jeunes Mariées* (1846) présentent
au public une sorte de poème lyrique qui porte aux cieux
« le grand art de la maternité ». Le bonheur s'y épanouit
enchâssé dans la dogmatique traditionnelle. C'est le
fruit de la réflexion philosophique, que n'a point pré-
cédé l'efflorescence du cœur. Ce roman fut écrit par
réaction intime : l'auteur s'y libérait de souvenirs trop
lourds où sa mère n'était que trop présente. Une tare y
subsiste : la prudence calculatrice de l'égoïsme bourgeois
que professe la jeune mariée au détriment de l'honneur
conjugal et chrétien. Enfin relisez comme commentaire les
Lettres à l'Étrangère à la même date : vous serez édifié.

L'atmosphère du foyer était nettement anti-chrétienne,
quoiqu'on y parlât beaucoup de religion avec des vues
rationalistes. Curieuse des idées, Mᵐᵉ Balzac aimait les
discuter ; sa correspondance en fait foi. Elle satisfaisait
pleinement ses croyances dans l'enseignement ésotérique
des sectes qui pullulaient alors : swedenborgiens, martinistes, mesmériens. Elle s'adonnait passionnément au
magnétisme, aux pratiques occultistes. Sa bibliothèque

était abondamment pourvue de tous les auteurs illuministes. Swedenborg, Saint-Martin « le Philosophe inconnu »,
sur le rayon le plus proche. De bonne heure elle met ces
derniers entre les mains d'Honoré dont la curiosité
s'éveille. Son imagination s'ébranle ; l'adolescent se
délecte dans les représentations paradisiaques : splendeur et volupté. Cette initiation se répercutera dans
toute son œuvre. Dès l'âge de dix-sept ans ; pour répondre
à une sorte d'appel mystique, il compose un poème
en prose rythmée : *Falthurne*, dont il dira plus tard à
M\ :sup:`me` Hanska, que c'étaient des « bégaiements », « le manuscrit de l'enfant », une « esquisse » du grand tableau que
devait être *Séraphîta*. Chaque essai nouveau, le second
Falthurne (1820), *Le Centenaire* (1822), le *Traité de la
Prière* (1824), attestent une persévérante activité dans
l'élaboration d'un idéal religieux à base d'illuminisme
martiniste. La personnalité de M\ :sup:`me` Balzac projette des
lumières sur la genèse de plusieurs caractères et situations
de *La Comédie Humaine*. Il est utile de la bien connaître.
Elle eut la douleur de survivre à son fils, et mourut aux
Andelys, le 1\ :sup:`er` avril 1854, âgée de soixante-quinze ans.

Des affinités extraordinaires se révèlent entre Paris
et Balzac. Faut-il ici se soumettre au prestige de l'atavisme maternel ? De 1814 jusqu'à sa mort en 1850,
l'écrivain n'avait quitté sa ville que pour des voyages
passagers. Indiquons très succinctement le rôle immense
que joue Paris dans *La Comédie Humaine*, Paris, qu'il
observait jusque dans les moindres détails, maisons et
monuments, « avec l'attention analytique d'un connais-
seur », dont il battait le pavé jour et nuit, « le nez à la
piste ! » Paris qu'il contemplait comme un être vivant,
« une créature » dont il soumettait les « tissus cellulaires »
à des examens physiologiques. Il était de ceux « qui
dégustent leur Paris, qui en possèdent si bien la physionomie qu'ils y voient une verrue, un bouton, une rou-
geur ». Il l'installera reine et maîtresse en son œuvre
gigantesque. Elle en forma le cœur monstrueux. Collé-

gien, étudiant, clerc d'avoué, débutant des Lettres, menant la vie de bohême, amant, dandy, écrivain célèbre, la cité fabuleuse aux ciels de légende, « aux cent mille romans », excita, connut, couronna toutes ses ardeurs. Il faut lire les *Scènes de la Vie Parisienne*, et surtout les descriptions de Paris dans *Ferragus*, *La Fille aux yeux d'Or*, *Le Père Goriot*, pour en admirer le haut relief. Balzac sut pomper tous les sucs, les substances, les contrastes de cet habitat favorable à son génie créateur. *La Peau de Chagrin*, *Z. Marcas*, *Les Martyrs ignorés*, la confession du *Médecin de Campagne*, les tableautins des *Œuvres Diverses* évoquent sa jeunesse ardente, ambitieuse.

*
* *

Mais enfin Balzac naquit à Tours, le 20 mai 1799. La mutation d'un fonctionnaire, son père, fit de l'enfant un Tourangeau. Il quitta sa ville natale en 1807, âgé de huit ans, emportant au collège de Vendôme, « des premiers souvenirs de ma vie — dit-il dans *Le Lys dans la Vallée* — le sentiment du beau qui respire dans le paysage de Tours avec lequel je m'étais familiarisé ». Cette empreinte signalera d'une façon bien nette l'œuvre future.

Il avait été élevé jusqu'à quatre ans, en même temps que sa sœur Laure, par une nourrice habitant Saint-Cyr. C'est un faubourg de Tours et l'un des plus beaux sites de la Touraine. Les maisons du village s'alignaient toute blanches sur la *levée*, « bordée de peupliers magnifiques dont on entend le bruissement ». Elle longe la Loire dont les eaux moirées s'en vont lentes, entre des bancs de sables cuivrés, les coulées blondes des grèves, les îles verdoyantes et feuillues d'oseraies. Incessamment sur le fleuve, passaient majestueux, par équipes, les grands bateaux aux voiles blanchâtres gonflées par la brise, et les échos renvoyaient les cris, les chants des mariniers. L'enfant ouvrait son regard à la vie sous ce ciel immense et nacré, se baignait dans cette atmosphère tranquille et char-

mante, « où règne non pas l'audace, le grandiose, mais la
bonté naïve de la nature », devait-il dire de ses impressions d'alors. Les coteaux bleus, veloutés, s'estom-
paient dans le lointain, piquetés de taches blanches que
font les châteaux, les closeries, environnés de bosquets,
de fleurs, de vignes. « C'est sous ton ciel pur, que mes
premiers regards ont vu fuir les premiers nuages ». Ces
émerveillements, ces étonnements avaient marqué l'es-
sor de sa sensibilité précoce ; « ces fragments errant
dans sa mémoire » qui dès l'enfance étonna tous les
siens, recomposaient les tableaux dont le collégien de
Vendôme enchantait sa mélancolie.

Ces premières sensations s'étaient profondément gra-
vées en lui ; elles révèleront leur authenticité, leur
acuité, leur charme, dans le premier essai du romancier débutant, *Sténie* (1819). C'est à Tours, à Saint-Cyr
que s'en déroulent les scènes. Ces paysages amoureusement et minutieusement décrits jouent un rôle étroitement mêlé à l'action par les sentiments qu'ils inspirent
aux deux personnages principaux, Job et Sténie.

En avril 1813, l'adolescent revient à Tours, n'ayant
jamais quitté son collège durant six années. Pendant un
an, 1813-1814, il suit les cours de Troisième au Lycée.
Mais il déambule aussi par la cité et ses yeux ne se lassent
pas d'admirer les monuments. Il goûte le pittoresque des
maisons anciennes, des quartiers où les rues tortueuses,
étroites conservent un cachet d'archaïsme ; leur atmosphère imprègnera plus d'un *Conte drolatique*. La cathédrale Saint-Gatien surtout l'attire dans son ombre.
Il vient souvent rôder dans « le désert de pierre » qui
entoure son vaisseau, à l'affût de sensations religieuses et
romantiques, dans ses rues silencieuses où parviennent
atténuées, les vagues mélodieuses des chants sacrés et la
houle des grandes orgues. Il fera même un sort aux
choucas mis en émoi par les vibrations des cloches ; leur vol
animera ses descriptions. « Le nom seul de Saint-Gatien
réveillait en lui des mondes de souvenirs », dira sa sœur
Laure. Il répètera lui-même qu'il avait subi l'envoûtement

des pompes liturgiques. Que de romans garderont la trace de ces impressions ! *Sténie*, *Jane la Pâle*, *L'Excommunié*, *Maître Cornélius*, *La Femme de Trente ans*, *Le Curé de Tours*, un roman inachevé : *Le Prêtre catholique*. Toujours attiré par la majesté du fleuve, il retournait sur les quais, où « la Loire extrêmement large semblait couler devant la ville dans un canal taillé par un architecte ». Il ressentait, en vrai Tourangeau, l'orgueil d'être né dans l'une de ces nobles demeures toutes construites sur le même plan architectural qui faisait de la rue Royale — avant qu'elle ait été détruite par la guerre — une voie d'ordonnance classique. Il la célébra dans *L'Apostrophe*, l'un des *Contes Drolatiques*, par un hymne descriptif et lyrique. On pourrait indiquer beaucoup d'autres empreintes du sortilège qu'exerça la Touraine sur son tempérament et sur son œuvre.

Lorsqu'à la fin de 1814, la famille Balzac quitte Tours définitivement, elle y était demeurée seize ans. Elle avait contracté de nombreuses relations, de précieuses amitiés dans la meilleure société. L'atmosphère tourangelle ne se dissipera dès longtemps : les conversations familiales raviveront souvent la douce mémoire d'une province où tous les succès avaient comblé le ménage Balzac. Il y conservait d'ailleurs des intérêts : la ferme de Saint-Lazare, d'une contenance de seize hectares, qu'il possédait aux portes de Tours ne devait être aliénée qu'après 1830. Pendant toute sa vie, Honoré reviendra refaire son cerveau surmené ou chercher la solitude et le silence favorable aux labeurs, chez un intime ami de sa mère, M. de Margonne, le châtelain de Saché. Il y vécut les moments les plus heureux, les plus féconds de sa vie ; il y écrivit de très beaux chefs-d'œuvre, *Louis Lambert*, *La Recherche de l'Absolu*, les *Illusions perdues*, *Séraphita*, *Le Père Goriot*, *César Birotteau*, et *Le Lys dans la Vallée* qui se passe à Saché. Au milieu de cette nature harmonieuse, qu'il repeuplait de fantômes aimés, la sensibilité de l'écrivain saisissait, traduisait une à une les splendeurs de sa petite patrie, celles de la nature et celles

de l'art, la délicatesse de ses ciels, la douceur extrême de
son climat, la légèreté de sa lumière où les contours
des objets ressortent avec un relief d'extraordinaire
netteté. Avec quel enthousiasme il se prit à chérir les
vallées de la Loire, du Cher, de l'Indre, de la Cisse, la
plasticité séduisante de leurs vallonnements ! « Ne me
demandez plus pourquoi j'aime la Touraine ; je ne l'aime
ni comme on aime son berceau, ni comme on aime
un oasis dans le désert ; je l'aime comme un artiste
aime l'art ! Sans la Touraine, peut-être ne vivrais-je
plus ! »

* * *

Avez-vous erré dans les parages illustres désormais
de Saché et de Vouvray en feuilletant les romans qui
les ont célébrés ? Avez-vous tour à tour reporté vos yeux
du paysage naturel sur sa reproduction artistique ?
Alors, vous ne serez pas de ceux qui reprochent à Balzac
l'infériorité de son don visuel. Vous constaterez au
contraire dans ses dessins la fermeté du trait ; dans ses
coloris, je ne sais quel frémissement. Il est précis ; il
fixe dans la perspective quelques points de repaire.
C'étaient pour lui des signes d'exactitude et de reconnaissance, comme ils le sont toujours même pour ses lecteurs
d'aujourd'hui, car la physionomie de l'enchanteresse
jouit d'une grâce éternelle et n'a pas vieilli. Ces descriptions « sont vraies, d'une vérité intime et profonde :
elles trahissent le charme le plus secret des lignes et de
la lumière », a dit un bon juge, André Hallays. Le lyrisme
du poète trahit la tendresse dans les mots, la vivacité
dans les sensations, qui renaissaient toutes vibrantes
quand il les évoquait, et recherchait en lui-même les
images inoubliables : il aime répéter que son âme les
avait inscrites à jamais. Une parenté très étroite s'était
établie entre elles et sa vie sentimentale. En faisant
communier ses créatures avec l'harmonieux apaisement
qu'apporte à la sensibilité le charme vaporeux de cette

nature délicieuse, comme dans *La Grenadière*, c'étaient
les confidences et les enchantements de son cœur qu'il
nous livrait. Ce poétique logis, retraite d'amour, n'avait-il
pas enclos de son mystère, pendant l'été de 1830, l'écrivain grisé de sa jeune gloire, et *La Dilecta* dont la fierté
se traduisait en tendresses renouvelées ? Ce rapport,
il le rétablit entre les personnages qu'il conduit dans les
mêmes lieux et ces lieux eux-mêmes, si bien qu'à cause
de cela, ses descriptions des paysages tourangeaux
échappent au reproche qu'on adresse à d'autres, d'être
sans connexion psychologique avec l'intrigue (1). *Le Lys
dans la Vallée* en donne un superbe démenti.

Ce roman appartient au groupe d'œuvres qu'on
dénomme volontiers le *Cycle de Touraine*. A la liste
déjà citée, ajoutons *La Grenadière*, *Madame Firmiani*,
Eugénie Grandet, *L'Illustre Gaudissart*, *Les Deux Amis*
(inachevé), sans parler de plusieurs *Contes Drolatiques*,
articles, lettres. *Le Lys dans la Vallée* est à la fois un
hymnaire et un mémorial. Que de pages descriptives,
embaumées, bruissantes, coloriées des contacts avec
cette riante nature, cette terre opulente, ces sites incessamment capricieux dans leurs pimpantes coquetteries !
Qui donc mieux que Balzac, parmi les peintres de la
Touraine, modernes et contemporains, Maurice Bedel,
Henri Guerlin, André Hallays, Jacques-Marie Rougé,
André Theuriet, a su rendre la grâce enlaçante de « sa
chère vallée » dont il disait qu'elle endort les douleurs
et réveille les passions ? « Ce val d'amour » surabondait
d'une poésie mystérieuse qui s'épandait dans le cœur
du pèlerin de Saché, pour entendre une voix inspiratrice,
nourrir ses désirs les plus secrets, entretenir ses rêves
de volupté, guérir une passion sans espoir. L'Indre par
lui garde les allures d'une naïade antique fuyant au
milieu des prairies, se roulant avec des mouvements de
serpent entre les lignes onduleuses des roseaux et des

(1) Cf. une discussion sur ce talent de paysagiste, Maurice Bardèche, *Balzac romancier*, in-8°, Plon, 1940, pp. 551-553.

saules, se dérobant aux yeux, capricieuse ou nonchalante suivant l'heure ou la saison ; surgissant des remous quand la rivière est fouettée par la roue des moulins ; réapparaissant derrière un bouquet de joncs, couronnée de nénufars et de lys d'eau, comme pour vous attirer vers quelque pimpant manoir qui se mire au cristal d'une anse discrète, encadré dans l'or pâle des peupliers.

Que si nous passions à la géographie économique, gastronomique, œnologique, nous démontrerions qu'il avait exploré tous les domaines et qu'il appréciait de sa province toutes les saveurs. Il en faudrait dire autant de son histoire, de ses monuments fameux, châteaux, églises, logis : il y trouva le sujet ou les décors de maints récits. Il ne pouvait non plus oublier ses habitants. Il leur consacre, dans *L'Illustre Gaudissart*, un long paragraphe : il observe que leur caractère est le reflet exact de la nature ambiante. Grâce à sa théorie des milieux, il faisait endosser à la Touraine une superbe influence. Au pays de Rabelais la goguenardise, l'épigramme, l'esprit conteur, rusé ! Mais c'est aussi le pays des merveilleux châteaux, une terre de délices dont ne purent se déprendre au siècle de la Renaissance, les Rois, les Reines, les Maîtresses royales, les courtisans, les artistes. Dans cette atmosphère flottent la finesse, la politesse, le goût des beaux-arts, une ardente poésie, des parfums voluptueux. C'est tout cela qu'en Touraine, aspire un nouveau-né dans sa première gorgée d'air. Mais pour développer tous ces germes, réaliser les promesses qu'ils enferment, il faut qu'un jour le Tourangeau soit transplanté : autrement, s'il reste chez lui, la mollesse de l'air, la beauté du climat, la facilité d'existence corrodent à la longue sa volonté. Je soupçonne ici Balzac de composer son propre panégyrique. On pourrait lui rétorquer tant d'arguments. Pourquoi revenait-il si souvent puiser un renouveau de forces dans cet air bienfaisant ? Il y a dans cette opposition plus de littérature que de réalité. La victoire que le romancier fit remporter aux

gens de Vouvray sur l'illustre Gaudissart, le roi des
commis-voyageurs et des hâbleurs, mais, de plus, Nor-
mand d'origine et Parisien d'adoption comme l'atteste
la puissance mystifiante de son bagout, prouve en
quelle haute estime Balzac tenait ses compatriotes,
dont il partageait d'ailleurs les qualités et les défauts,
aimables pour la plupart. Combien souvent redisait-il
qu'il voudrait finir ses jours dans ce pays tant aimé !
Par exemple, à Ratier, directeur de *la Silhouette*, dans
une lettre du 21 juillet 1830 : « Oh ! si vous saviez ce que
c'est que la Touraine... J'en suis arrivé à regarder la
gloire, la Chambre, la politique, l'avenir, la littérature,
comme véritables boulettes à tuer les chiens errants et
sans domicile, et je dis : La vertu, le bonheur, la vie,
c'est six cents francs de rente au bord de la Loire ».

Beaucoup d'autres provinces apportèrent des ressources
à son inspiration : Ile-de-France, Berry, Bourgogne,
Champagne, Flandres, Auvergne, Bresse, Gascogne, Pro-
vence, Savoie, Comtat, Angoumois, Périgord, Dauphiné :
il faudrait les nommer toutes. Aucune d'elles ne fut illustrée avec plus d'amour par un fils fier de son origine.
On peut conclure justement que sans l'influence de sa
terre natale, Balzac n'eût pas acquis le sens de l'unité,
de la mesure, de l'harmonie, qui contrebalança pour
une part l'outrecuidance et la fougue de son atavisme
méridional (1).

Il sait nous donner la sensation de la vie provinciale,
marquer l'esprit de chaque province. Il excelle à peindre
les petites cités endormies dans un passé mélancolique
parce que leur gloire est à jamais défunte ; il aime en
ranimer les fastes : Provins *(Pierrette)*, Issoudun *(La
Rabouilleuse)*, Saumur *(Eugénie Grandet)*, Alençon *(La*

---

(1) M. Albert ARRAULT, dans son bel ouvrage illustré par Picart
Le Doux, *La Touraine de Balzac*, Tours, 1943, a su restituer cette
influence à la Touraine, en montrant dans l'efflorescence et l'épanouissement littéraires du romancier, les résultats dus à ses origines
et à ses longs séjours dans cette province.

Vieille Fille, Le Cabinet des Antiques), Nemours *(Ursule Mirouët)*, Angoulême *(Illusions Perdues)*, Sancerre *(La Muse du Département)*, Besançon *(Albert Savarus)*, etc... Une maison, un monument, un mobilier, un trait pittoresque suffisent pour condenser les idées dirigeantes des milieux provinciaux, pour révéler les dessous de leur existence étouffée. Mais ne vous fiez pas à cette calme atmosphère. Elle enveloppe, elle recouvre des passions, des intérêts opposés, des passions échauffées de rivalités de toutes sortes, des haines. On évoque immédiatement le tableautin de la petite ville esquissée par La Bruyère : « Il y a une chose qu'on n'a point vue sous le ciel, et que selon toutes les apparences, on ne verra jamais : c'est une petite ville qui n'est divisée en aucun parti, où les familles sont unies et où les cousins se voient avec confiance ; où un mariage n'engendre point de guerre civile ; ... d'où l'on a banni les caquets, les mensonges et la médisance... » Balzac fut le premier qui poussa cette exploration jusqu'au moindre détail de mœurs : personne avant lui n'avait dévoilé les mystères tragiques que dérobe l'apparente monotonie de l'existence provinciale, où le calcul et la réflexion continue, « prêtent d'énormes valeurs aux actes les plus indifférents ». Enfin, il a mis en évidence les changements profonds que la Révolution avait apportés dans l'estimation des valeurs sociales et dans les rapports entre les catégories d'habitants. La petite bourgeoisie s'empare de l'influence politique que détenait la noblesse *(Les Paysans)* : les rivalités s'exaspèrent : « les systèmes deviennent des hommes et des hommes à passions incessantes, toujours en présence, s'observant comme des duellistes, occupés à leur haine comme des joueurs sans pitié ». Les opinions politiques créent des inimitiés privées qui rejaillissent sur les enfants. Sur ce point comme sur tant d'autres, Balzac est un historien : il raconte non seulement ce qu'il voit, mais ce sur quoi l'ont renseigné ses conversations avec ses parents, ses amis.

On a souvent remarqué que Balzac s'intéresse bien
davantage aux réalités sociales qu'aux tableaux de la
nature. Celle-ci ne revêt son caractère profond que lorsqu'elle est mêlée au drame spirituel qui bouleverse l'âme
des personnages : c'est par leurs yeux, à travers leurs
pensées, que le romancier perçoit les circonstances du
paysage et du sentiment. On cite toujours à ce propos
Le Médecin de Campagne et *Le Curé de Village*. Le Docteur
Bénassis, dont le cœur est ravagé par les désillusions,
par le souvenir de ses faiblesses, prononce cette parole :
« L'amour pour la nature est le seul qui ne trompe pas
les espérances humaines. Ici point de déceptions ». Il
éprouve des « délices » à sentir « les parfums exhalés par
les propolis des peupliers et par les sueurs du mélèze »,
sorte « d'émotions dont ne se doutent pas les gens des
villes ». Dans l'avenue délicieuse, « galerie de verdure
où les pas de leurs chevaux résonnent comme s'ils
eussent été sous les voûtes d'une cathédrale », « il se
trouve, certes, ici, quelque chose de religieux, dit Bénassis
au commandant Génestas, et le sentiment de notre petitesse nous ramène toujours devant Dieu ». Véronique
Graslin, conclut de même dans ses chevauchées à travers
la forêt de Montégnac. Son âme désolée, rongée par le
remords, communie avec « la profonde tristesse exprimée
par cette nature à la fois sauvage et ruinée, abandonnée,
infertile », qui « répondait à ses sentiments cachés ».
Finalement, le calme austère et la sérénité des cimes
boisées, tournent ses réflexions et ses rêveries dans « un
ordre de faits » plus élevés que ceux où elles se plon-
geaient d'habitude : il faut se soumettre à la loi d'ex-
piation.

La crise morale où se débattait la conscience de Bénassis et de Véronique Graslin exigeait que les spectacles
de la nature orientassent le cheminement de leurs pensées
repentantes vers ces élévations religieuses. Il en va de
même pour Camille Maupin *(Béatrix)*, déçue dans son
amour pour Calyste du Guénic : l'infini de l'océan le
jette entre les bras de Dieu. *La Bourse, La Peau de Cha-*

grin, La Femme de Trente ans, Le Lys dans la Vallée, nous montrent l'heure crépusculaire provoquant les douces rêveries où le cœur trouve un baume à la souffrance de l'amour ou des exaltations favorables au mol abandon des caresses, aux aveux troublants : la nature devient la complice des amants. *Les Chouans* rendent de façon parfaite les relations de la nature avec l'organisme humain : nous le verrons bientôt.

Les descriptions de la Nature abondent dans *La Comédie Humaine* : on pourrait en composer un recueil important : la mer, la montagne, les vallées y sont peintes avec une certaine prolixité. Elles sont parfois assez ternes. La région des Monts Dore et du Pic de Sancy est évoquée dans *La Peau de Chagrin.* C'est une description topographique ; l'écrivain s'efforce à multiplier les contrastes : on sent cet effort, et il est pénible, dans la recherche d'expressions bizarres. Qu'on relise dans *Le Curé de Village,* le récit de la fête où l'on inaugure le barrage qui, transformant la vallée du Gabou, lui assure une fertilité merveilleuse, et fait du nouveau parc de Montégnac un lieu d'enchantements. Il faut avouer que ce tableau n'a pas de relief. Les épithètes banales abondent : « parfaite élégance », « charmant effet », « supérieurement dessiné », « jolis sites », « joli mobilier » d'une petite chartreuse, « ruisseaux clairs », « élégantes masses ou découpures charmantes à l'œil », « un air de solitude doux à l'âme », « jour superbe », « mélodieuses cascades ». Ces mots et ces épithètes n'entraînent pas un cortège d'images visuelles et auditives. Arrêtons-nous à ces échantillons pour nous convaincre plutôt, que la palette de Balzac est parfois garnie de couleurs sans éclat ; ici l'invention verbale fait défaut. Elle n'égale pas toujours la puissance émotive devant les scènes de la nature. Et que de répétitions en quelques lignes ! En revanche, le même roman nous offre, quelques pages plus loin, une impression du soir au village, et une scène de fenaison où la fraîcheur et la vérité donnent des ailes à la poésie et dénotent une sensibilité sincère : elles n'exigent aucune

indulgence de l'admirateur. En somme, sans atteindre
à la splendeur de Chateaubriand et de Victor Hugo,
Balzac, s'il nourrit une excessive prétention comme paysagiste, fut doué du don visuel, et quand il décrit, ses
tableaux nous charment — pas toujours —, plus par
la justesse des traits que par l'originalité de l'expression.

CHAPITRE II

LES DÉBUTS ET LA RÉUSSITE

La vocation littéraire de Balzac, du « Poète », comme l'avaient surnommé ses camarades du Collège de Vendôme, s'était révélée dès sa quatrième. Le « rimailleur » persista dans sa passion. Les essais du débutant furent vers 1818 encore poétiques, « romantiques, dans le genre de M. de Lamartine », puis pseudo-classiques dans le genre de M. de Voltaire ; il tâta de l'épopée à la façon de *La Henriade* et de *La Pucelle*, puis s'acharna sur une tragédie qu'il acheva, *Cromwell* (1818). Ce fut un échec qui le décida à tourner vers ailleurs ses ambitions d'écrivain.

Déjà la philosophie l'avait attiré. Il suit à la Sorbonne, entre 1817 et 1819, les cours de Victor Cousin : celui-ci « paraissait une sorte d'hiérophante venant d'un monde invisible annoncer des choses inconnues », dit Philippe Damiron. Si l'on rapproche les théories que professe Louis Lambert dans ses lettres datées de Paris, 1818, alors qu'il suit les cours de la Sorbonne, et celles que Victor Cousin traitait la même année, on ne peut pas ne pas remarquer entre elles d'exactes similitudes. Ce dernier examinait les formes prises au cours des siècles par le sentiment religieux dans ce qu'il a de plus exalté chez les êtres doués de dons extraordinaires, chez les mystagogues. Il cherchait dans les lois de la psycho-

physiologie l'explication de tous ces phénomènes, mettant
sur le même plan les manifestations du fanatisme et
celles de la sainteté authentiquement chrétienne, visions,
extases : ce sera la trame du *Livre Mystique (Les Proscrits, Louis Lambert, Séraphîta)* (1831-1835). Il montrait
la formation et l'évolution des croyances sous les
influences ethniques, géographiques : cette idée persis-
tera jusqu'au bout dans l'intelligence de Balzac. Deux
problèmes surtout l'inquiétaient : l'existence, la spiri-
tualité et l'immortalité de l'âme. Un tel souci chez un
jeune homme de dix-huit ans appelle l'estime que Pascal accordait à ceux qui n'y restent point indifférents (1).
Il en accepta la solution matérialiste présentée par la
théorie psychophysiologiste de Cabanis et conforme à
la philosophie rationaliste du XVIIIe siècle. Il conclut
en faveur de l'athéisme, ou d'un déisme tellement imprécis
qu'il reste inopérant sur la conscience morale. Il consi-
gna ses opinions dans des *Notes sur l'immortalité de l'âme,
sur la Philosophie et la Religion.*

A quoi bon décrire une fois de plus, après tant et tant
de biographes, l'âpre existence que mène l'apprenti
écrivain pendant l'année 1819, dans une sordide mansarde
de la rue Lesdiguières ? Il convient bien mieux de remarquer la première démarche de son esprit ; il utilise immédiatement ces notes pour ses deux premiers essais roma-
nesques, *Falthurne*, et surtout *Sténie ou les erreurs philosophiques* (1819) (2). Ce dernier est un roman épisto-
laire qui se ressent quelque peu de *La Nouvelle Héloïse.*
Chaque lettre équivaut à une savante dissertation
(composée par l'étudiant en philosophie Balzac). Les
arguments démontrent l'absurdité des dogmes catholiques, et surtout celui de l'existence de Dieu, de l'âme,
la beauté et la clarté des vérités rationnelles, très
supérieures à celles de la stupide révélation. Les billets
doux sont imprégnés d'un parfum tout métaphysique.

(1) *Pensées*, édit. L. Brunschvicg, p. 416.
(2) Ce texte inédit fut établi par A. Prioult (Paris, Courville, 1936,
in-8°).

Ces pages reflètent la physionomie morale de leur auteur. Il s'analyse lui-même ; il fait le point de sa navigation philosophique ; il juge sa position, morale, religieuse, sentimentale, par rapport au terme du voyage, ce havre des plaisirs que l'amour païen lui réservera quand il aura détruit tout principe de croyance et de morale chrétiennes dans l'âme de son amante, pour l'amener plus facilement à l'adultère. *Sténie* est surtout un document psychologique et philosophique de premier ordre. Il projette un faisceau de lumière sur un filon, exploité jusqu'au bout, dans *La Comédie Humaine*, par exemple dans *Séraphîta*.

Il faut signaler dans un ordre tout différent les stages que Balzac avait accomplis dans l'étude d'un avoué en en 1817, puis d'un notaire, en 1818. Leur atmosphère se ranimera dans plusieurs romans, en particulier *Le Colonel Chabert* et *Un Début dans la Vie*. L'auteur se servira de ses observations sur la physionomie des clients où il lisait la déchéance et la misère, sur les mœurs des clercs, les actions de la procédure, l'appareil de la Justice, les audiences du Palais, etc...

Les grandes œuvres de Balzac, au moins quant aux moyens d'art et d'expression, étaient en germe dans celles du début. Celles-ci forment un ensemble de 32 volumes in-12. Elles furent publiées de 1821 à 1824, en collaboration, sous des pseudonymes connus : Lord R'Hoone, le bachelier Horace de Saint-Aubin, Viellerglé, dans une sorte d'atelier littéraire que dirigeait une sorte de courtier, Le Poitevin de l'Egreville. Voici les romans que Balzac jugeait équitable de joindre à son actif en les faisant réimprimer sous son nom en 1836 : *L'Héritière de Birague*, *Jean-Louis (La Fille trouvée)*, *Clotilde de Lusignan (Le Beau Juif)*, *Le Centenaire (Les Deux Beringheld)*, *Le Vicaire des Ardennes*, *La Dernière Fée (La Nouvelle Lampe merveilleuse)*, *Annette et le Criminel*, suite du *Vicaire des Ardennes*, réimprimé en 1836 sous le titre plus connu d'*Argow-le-Pirate*, *Wann-Chlore*, réimprimé sous le titre de *Jane la Pâle* : on les désigne sous le titre général d'*Œuvres de Jeunesse*. Ses compagnons, jeunes polygraphes dont la plupart en restèrent à leurs aspirations vers la gloire, auront des types représentatifs dans *La Comédie Humaine*, Finot de *César Birotteau*, Lousteau de *La Muse du département*, Lucien de Rubempré d'*Illusions Perdues*, etc...

Une confidence que Balzac aurait faite à Champfleury n'apparaît plus comme une vantardise rétrospective : « J'ai écrit sept romans comme simple étude, un pour apprendre le dialogue, un pour apprendre la description, un pour grouper les personnages, un pour la composition... » Cette phrase permet au critique de considérer ces essais comme des expériences, et de retrouver le modèle d'après lequel l'élève s'efforce de reproduire quelque procédé technique. La vérification a été faite par M. Albert Prioult, dans *Balzac avant la Comédie Humaine*, et par M. Maurice Bardèche dans *Balzac romancier*. Le premier a minutieusement noté tous les auteurs successifs imités par le jeune apprenti ; le second, tous les secrets de facture qu'il leur emprunte méthodiquement afin d'acquérir les secrets du métier : il avait fait ses classes de romancier et il en profita. Récemment encore on ne s'occupait des *Œuvres de Jeunesse* que pour les ravaler au rang des plus plates et méprisables productions, dénuées de tout intérêt, de tout mérite littéraire. Cela n'est plus permis. Tout d'abord l'apprenti choisit ses maîtres. Il le déclara plus tard par la bouche de Joseph Bridau, dans *La Rabouilleuse* : « Il lisait d'ailleurs beaucoup ; il se donnait cette profonde et sérieuse instruction que l'on ne tient que de soi-même, et à laquelle tous les gens de talent se sont livrés entre vingt et trente ans ». Voici quelques références principales indiquées par lui : Byron, Fenimore Cooper, Anne Radcliffe, Maturin, Walter Scott dont l'influence sera décisive et profonde ; Rabelais, Molière, Diderot, Montesquieu, Locke, J.-J. Rousseau, Bernardin de Saint-Pierre, Beaumarchais, Chateaubriand, Ducray-Diminil, Pigaut-Lebrun, etc...

Sa lecture dévorait en plus une infinité d'auteurs maintenant obscurs. Il s'essayait à reproduire ces genres différents : le roman d'intrigue, le roman historique, le roman d'aventures, le roman sentimental, le roman noir, fantastique, terrifiant, picaresque. L'un ou l'autre d'entre eux, lui fournit un schéma d'exercices, des thèmes d'imitation : la parodie, le dialogue soit comique, soit dramatique, la description, etc. *Argow-le-Pirate* (1824) est une tentative de roman psychologique. Il est à retenir comme preuve des progrès accomplis dans la structure des caractères et de l'intrigue, par le recours aux passions et non plus aux truquages catastrophiques. De même, Balzac comprit peu à peu qu'au-dessus de toute technique, la meilleure ressource du romancier, c'est lui-même. Dans l'alliage fourni par l'imitation, il coulait ses expériences personnelles, ses conceptions de la vie, les décors de sa propre existence ; le milieu familial des Balzac fut engagé sur la scène. Il inaugurait la galerie des portraits consacrés à ses *alter ego*.

Un autre courtier littéraire, Horace Raisson, lançait, vers 1824, la mode des *Codes* littéraires. Il engage Balzac, pourvu de quelque notoriété, qui fait paraître en 1825 son *Code des Gens Honnêtes*. Ce genre satirique inspire sa verve. Il énonce en brefs articles comme dans un *Code juridique*, les usages et prescriptions de la vie mondaine. Son observation devient plus aiguë. Il peint avec le souci d'un psychophysiologue ; il interprète les détails extérieurs de la personne, de l'attitude, du vêtement, du mobilier comme les signes, comme les documents positifs du tempérament moral. Depuis 1822, il pratiquait l'ouvrage de Lavater, *l'Art de reconnaître les hommes par la physionomie* (1). Il en applique les principes avec une conviction telle qu'il n'hésite pas à découvrir sous chaque geste, dans chaque pose, dans chaque jeu du

---

(1) Il écrira plus tard l'*Art de payer des dettes... sans débourser un sou*, l'*Art de mettre sa cravate*, *Théorie de la démarche*, *Etude de mœurs par les gants*, et toutes les *Physiologies de la toilette, du cigare, gastronomique*, de *L'adjoint*, etc...

visage, l'explication réaliste et quelque peu pessimiste, de la vie sociale dont le principal ressort est l'argent : voilà pour le sens de la pensée. Quant à la forme, ces esquisses rapides, ces silhouettes de genre, annoncent maint épisode, maint personnage de *La Comédie Humaine*.

Après l'argent, l'amour. La *Physiologie du Mariage*, dont la moitié est achevée cette même année 1824, ne paraîtra sous sa forme définitive qu'en 1829. C'est la satire des mœurs contemporaines. C'est le drame éternel joué à trois personnages depuis l'apparition du serpent près du couple édénique. Malgré beaucoup d'emprunts, cette œuvre n'est pas sans étonner par la force d'observation et d'analyse, peu commune chez un jeune auteur. Quel scepticisme total à l'égard du mariage ! L'ironie dépassait la mesure ; elle mettait sa vanité dans des propos égrillards et des légèretés musquées. Ridiculisant à l'excès une institution grave et sacrée, l'œuvre perdait la portée moralisante que son auteur prétendait vouloir lui donner. Littérairement, c'était un genre hétéroclite. Certains éléments ne seront pas perdus : quand Balzac abordera la psychologie conjugale, il utilisera plusieurs situations qu'il avait mises en œuvre dans la *Physiologie du Mariage*.

On saisit maintenant quand il convient d'utiliser les *Œuvres de Jeunesse* et le *Code des gens honnêtes*. Débuter par là serait une expérience décevante et funeste. Mais quelqu'un veut-il contrôler le développement de l'art et de la pensée chez Balzac ? Il ne le peut que s'il remonte en arrière jusqu'à cette période d'exercices, de tâtonnements, d'essais répétés. Il lui faut sortir de la zone éblouissante de *La Comédie Humaine*, et s'enfoncer dans le clair-obscur des débuts ; on y reconnaît telle ou telle page qui était grosse de promesses heureuses.

De 1825 à 1828, Balzac délaisse la littérature pour l'édition et l'imprimerie. Il voulait s'enrichir et il sortit de cette aventure qui fut dramatique, voué presque à la misère immédiate, et pour l'avenir — ce qui est pire —

à une existence de combinaisons et d'expédients financiers. L'occasion se présente de constater comment le
romancier sait recréer l'ambiance du pathétique réel en y
baignant des aventures fictives.

L'histoire détaillée de cette faillite et des affres
qu'elles causèrent à l'imprudent industriel, victime de
son impéritie professionnelle et de sa légèreté, a été
écrite par MM. René Bouvier et Edouard Maynial dans
Les Comptes dramatiques de Balzac. Elle met en évidence
la tare d'un caractère doué d'une propension extraordinaire au luxe et à la prodigalité : cela intéresse les
biographes.

Examinons les répercussions de cette catastrophe
commerciale dans l'*Histoire de la Grandeur et de la Décadence de César Birotteau*. Son expérience de stagiaire
dans une étude d'avoué servit à l'auteur, mais encore
mieux le souvenir de ses tribulations et de ses angoisses,
alors que se débattait son honneur, celui de sa famille
entre le cousin Sédillot, chargé de régler la liquidation
de l'imprimerie Balzac, et ses ayants-droit. On n'est
pas surpris qu'il soit précis dans l'emploi des termes
juridiques, savant sur les phases de cette opération judiciaire ; qu'il soit aussi pénétrant dans les analyses psychologiques d'un failli. Cette conscience avait été la sienne
avant d'appartenir à Birotteau ; elle avait été agitée
dans les sens les plus opposés, démesurément tourmentée
par l'effroi du lendemain, torturée par des oiseaux de
proie : financiers véreux, hommes de loi, créanciers.
Comme Birotteau, il avait « senti, plus d'une fois au
cœur l'éperon de la nécessité, cette dure cavalière ! »
« Mais comme beaucoup de gens ont pris la confiance
que donne l'illusion pour de l'énergie », il était tenace
« à faire un roman d'espérance par une suite de raisonne-
ments ». Toutes ces notations éclairent la profondeur
de son caractère ; il devient celui de sa créature. Au
moment où il en pétrit la glaise, en 1837, il peut philo-
sopher à son aise sur son propre cas ; il est sorti de
l'abîme où il plonge la victime de son imagination :

« les accidents commerciaux que surmontent les têtes
fortes deviennent d'irréparables catastrophes pour les
petits esprits. Les événements ne sont jamais absolus,
leurs résultats dépendent entièrement des individus ;
le malheur est un marchepied pour le génie, une piscine
pour le chrétien, un trésor pour l'homme habile, pour
les faibles un abîme ». Il se croyait un homme de génie,
une tête forte et habile. De plus, il avait découvert « le
grand secret des existences fortes et créatrices », qui est
d' « oublier » ; « oublier à la manière de la nature qui ne
se connaît point de passé, qui recommence à toute heure
les mystères de ses infatigables enfantements ». Ses
expériences d'imprimeur, de failli, lui ont apporté des
documents qu'il utilisera encore pour *L'Interdiction*, *Le
Cabinet des Antiques*, *Illusions perdues*. Ses réflexions
prennent un accent de vérité, ses analyses psychologiques
sont conduites avec une sûreté, qu'il n'aurait pas eue
s'il n'était passé par là. Il façonne des histoires, mais ce
n'est point toujours un démon inventif qui le guide et
l'inspire. Il revit avec lui-même et nous-mêmes avec
lui ; nous voilà devenus ses confidents. Le plaisir de la
lecture se teint de gravité, s'enrichit de sensations, car
l'écho de ses plaintes se répercute de son âme à la nôtre,
plus perçant.

La vérité autobiographique est ainsi mêlée à la fiction
dans beaucoup de romans ; la sensibilité de Balzac
réchauffe les intrigues, anime les décors de ses bonheurs,
de ses souffrances à tous les âges de sa vie. Des créatures
de rêve sous leurs pseudonymes apparaissent avec des
visages connus, aimés, haïs. Ce n'est point pour satisfaire une curiosité d'érudit qu'on s'essaie à les sortir
de l'énigme et du mystère, mais afin de ressentir la pleine
jouissance d'assister au miracle artistique qu'est une
métamorphose littéraire. De ces transfigurations, Mme
de Berny, *La Dilecta*, offre un exemple qui l'emporte sur
les autres : elle sera l'héroïne des *Chouans*.

En 1828, la menace de faillite étant provisoirement
écartée, il s'agit pour Balzac de gagner sa vie. Il se

retourne vers la littérature : ce sera désormais entre eux à la vie, à la mort. La vogue revient aux reconstitutions historiques. Ses premières ébauches, *L'Héritière de Birague*, *Clotilde de Lusignan* (1822) n'avaient pas été heureuses ; il les jugeait très sévèrement. Il se plonge avec passion dans la lecture des *Mémoires* relatifs à la Révolution et aux guerres de Vendée : son imagination s'enflamme. *Le Dernier Chouan ou la Bretagne en* 1799, intitulé plus tard *Les Chouans*, sera le premier roman qu'il crut digne d'être avoué, et il le signera.

L'information livresque ne lui suffit plus. En allant s'imprégner sur place, à Fougères, de l'atmosphère où se déroulent l'action et l'intrigue du roman qu'il bâtit, il inaugure la méthode documentaire dont il se servira désormais. Ses yeux ont besoin de contempler les sites qu'il veut décrire ; ses oreilles d'entendre les gens dans leurs entours. Il les interroge, les fait parler, recueille les expressions du terroir, remarque leurs habitudes. Il peut alors réintégrer le drame dans la nature. Elle devient un personnage fabuleux dont les autres acteurs reçoivent les impulsions, avec lequel ils communient dans l'effervescence de leurs passions. Il a compris enfin que pour être vrai, rien ne vaut de se laisser envahir l'être entier par le réalisme physique avant de le poétiser. Il arrache à toute la création, vivante ou inanimée, à l'ambiance même invisible, leurs secrets, leurs significations. Il surprend les chuchotements mystérieux par quoi les choses matérielles communiquent avec l'esprit de l'homme ; il n'était pas loin de croire à la valeur authentique de ce truchement spirituel. A chaque détour du chemin, surgit le génie de la Bretagne, attentif comme un complice qui favorise les démarches du couple amoureux, Montauran et Marie de Verneuil, ou tapi derrière chaque buisson, patient comme un espion qui déjoue leurs manèges. On répète volontiers, que « tout » Fenimore Cooper « est là » ; les ruses des Chouans réitèrent celles des Mohicans. « Tout Walter Scott » aussi : Balzac le déclare et le démontre, en observant à la lettre le pré-

cepte de son maître. Au lieu de « reproduire un grand
personnage ou un immense événement historique », le
romancier doit « en expliquer les causes en général en
peignant les mœurs des personnages et l'esprit de toute
une époque ».

Il a brossé sa toile de fond en traits larges, mais assez
nets pour qu'on y reconnaisse ses préférences politiques :
elles vont aux Bleus, à la République, au libéralisme dogmatique. On l'a contesté ; on allègue son indifférence
d'alors en matière de religion. Pourtant dans le même
temps qu'il compose son œuvre, au château de Fougères,
chez les Pommereul, ses joutes d'incroyant avec sa pieuse
hôtesse sont les indices indiscutables de son voltairia-
nisme. Le brave commandant Hulot, le capitaine Merle,
l'adjudant Gérard, « ces âmes vraiment républicaines »,
« aux dévouements noblement obscurs », désintéressés,
énergiques, proclament le but de leur double mission :
sauver « les doctrines et le pays », l'idée de liberté et les
conquêtes de la « raison humaine réveillée par nos
assemblées ». Les convictions des paysans affrontant
le martyr pour la défense de leur catholicisme, sont
rabaissés jusqu'au fétichisme, « au fanatisme obscur »
et superstitieux. Au « jésuite » et recteur Gudin, est
attribuée une âme cupide, ambitieuse, fanatique, prodigue des impostures les plus grossières. C'est une caricature très poussée. Elle ressort davantage à côté de
l'esquisse fade et décolorée, représentant le prêtre fidèle
à maintenir, malgré les périls, les antiques et pieux usages.

Le marquis de Montauran, *le Gâs*, est brave, généreux,
mais les oscillations de sa folle passion et la victoire de
son amour amènent la défaite de la cause qu'il défend ;
pour un chef, c'est digne d'un fantoche. Le caractère
du commandant Gérard, ce grand patriote, se présente
d'une allure autrement fière et sympathique. Quant aux
autres partisans, gentilshommes à la cervelle légère,
ils se montrent piètres défenseurs du trône et de l'autel.
« Harcelant » leur chef pour être recommandés au Roi,

ils ne rêvent que places, profits, grands cordons, faveurs. Les plaisanteries érotiques lancées par le comte de Beauvan, face à l'autel, pendant la messe du mariage *in extremis* qui unit Montauran et Marie de Verneuil, sont odieuses, sacrilèges en un moment aussi grave, peu vraisemblables. L'une des scènes les plus évocatrices, les plus significatives du roman, c'est la messe des Chouans, célébrée, la nuit dans une clairière. Ces paysans agenouillés en armes devant l'Hostie, Balzac les assimile à des sauvages, à des Hurons devant leurs fétiches (« tout Fenimore Cooper »). Ils n'étaient pour lui « qu'un fait et non un système ; c'était une prière et non une religion ». Il interprète cette cérémonie sacrée comme une comédie destinée, dans l'esprit de ceux qui « avaient prostitué le sacerdoce aux intérêts politiques », à fomenter les passions des esprits grossiers. « La croix pacifique de Jésus devenait un instrument de guerre ». L'ambiance historique doit expliquer l'événement. Ici, le romancier la dénature, par le grossissement des tares. Son opinion personnelle la travestit en restreignant à la terre la portée céleste du drame surnaturel : il n'en admire que les décors. Par manque de sympathie, il n'a pas restitué à la Chouannerie l'héroïsme sublime et farouche d'une indomptable foi. Un roman contemporain, *Sous la Hache*, d'Elémir Bourges, a repris exactement l'intrigue, les situations, les péripéties, les thèmes des *Chouans*. L'étude des passions politiques y est plus fouillée ; les caractères des républicains soulevés par des convictions plus violentes. Bien qu'on y constate un souci d'impartialité, le lecteur conclut qu'un roman historique se ressent toujours des opinions de l'auteur.

Bien des années plus tard, Balzac relira *Les Chouans*. Il communiquera ses impressions à Mme Hanska : « C'est décidément un magnifique poème... La passion y est sublime... Le pays et la guerre y sont dépeints avec une perfection et un bonheur qui m'ont surpris... » Le pays, la guerre, c'est l'extérieur du drame. « La passion sublime », ressort secret, c'est celle de Balzac d'abord pour Mme de Berny, dans l'édition originale, puis pour Mme Hanska, dans l'édition de 1834, très remaniée à cette intention. Charmes, attraits, prestiges, l'héroïne, Marie de Verneuil, en est comblée, même de « grâces virginales ». Cette transfiguration trop osée pour une créature déclassée, infâme, espionne vénale et sublime amante, trahit les premiers élans du jeune homme en quête d'un bonheur éperdu, les houles de ses premières amours. Il vêtait sa création de toutes les séductions qu'il voyait, rêvait dans le rayonnement de *La Dilecta*, puis de *L'Etrangère* : c'était « le poème » de ses enthousiasmes intimes. C'était aussi l'heureuse conjonction de toutes ses tentatives littéraires. La matière historique qui s'était offerte à son burin dans cette Bretagne et cette Chouannerie lui avait permis l'emploi des contrastes dans les descriptions, les caractères, les idées. Puis chaque personnage « typisait », « configurait » sa classe sociale : Montauran, jeune, élégant, vaillant, « une gracieuse image de la noblesse française »; le Commandant Hulot, vieux soldat de visage sévère, « offrait une image vivante de cette République »; Gudin, était le prêtre fanatique, « image du clergé en ces contrées ». Les Chouans dont les sobriquets peignent l'origine populaire, Galope-Chopine, Pille-Miche et surtout Marche-à-Terre, étaient l'image des paysans fanatisés. Ce procédé allait devenir une règle constante, comme aussi l'animation de la nature. Enfin tout étincelait de jeunesse : la fluidité du style, les mots colorés, les tableautins léchés, les déclarations parfois naïves, les jugements à prétentions philosophique ou savante.

En même temps, cette œuvre inaugurait le roman policier : un complot émané de Fouché qui avait délégué auprès de l'espionne l'un de ses agents, le cauteleux Corentin, devait amener l'arrestation du Gâs, le chef des Chouans. Balzac préludait aux épisodes que nous retrouverons dans *L'Auberge rouge, Le Réquisitionnaire, Une Ténébreuse Affaire, Splendeurs et Misères des Cour-*

tisanes, L'Envers de l'Histoire Contemporaine, etc...

Les Chouans furent dédiés à Théodore Dablin en des termes respirant la fierté : « *Au premier ami, le premier ouvrage* ». Mieux vaut dire, la dernière des œuvres de jeunesse. A sa réussite, chacune des autres, se dépouillant, pour ainsi dire, d'un présent reçu dans le berceau, avaient coopéré à la richesse du premier *chef-d'œuvre,* du *chef-d'œuvre de maîtrise.* Par ses beautés multiples, il attestait un talent sûr de sa force et de ses ressources.

CHAPITRE III

LA MÉTHODE D'OBSERVATION
ET DE DOCUMENTATION

Parus en janvier 1829, *Les Chouans* ne furent qu'un demi-succès, mais ils ouvrirent la porte à la renommée. En décembre, elle s'accrut très bruyante avec la *Physiologie du Mariage* dont les anecdotes piquantes et les réflexions scabreuses valurent à Balzac, dans les salons mondains, un succès à scandale. En avril 1830, les deux volumes des *Scènes de la Vie Privée*, une suite de nouvelles moralisantes, d'une émouvante délicatesse, destinées aux « âmes jeunes », aux jeunes filles comme aux mères de famille, pour leur éviter des « larmes de sang », lui conquièrent définitivement le public féminin. Déjà la *Physiologie*, y avait excité la curiosité, provoqué des remous. Du coup, la réputation de l'auteur y circulait estimée de bon aloi. En 1831, *La Peau de Chagrin*, « écrit de circonstance », vaste et flagellante satire des mœurs contemporaines, amenait un nouveau scandale couronné d'un vrai triomphe littéraire.

En 1832, Balzac était le célèbre écrivain que les maîtresses de maison ont honneur à recevoir dans leur salon, les directeurs de journaux et de revues à voir figurer dans leurs sommaires. Il se disait « hébété de sujets et de demandes ». Il était devenu l'amant de la duchesse d'Abrantès, fréquentait chez Mᵐᵉ Récamier, la Princesse Bagration, la Comtesse Merlin, Mme de Girardin, Mme Hamelin, la Comtesse de Guidoboni-Visconti, la Comtesse d'Agoult, la Marquise de Fitz-James, etc... L'auréole aristocratique sera toujours pour Balzac une séduction féminine irrésistible. On s'en aperçut bientôt : on le vit assidu auprès de la Marquise de Castries. Elle était très belle, attentive au mérite littéraire, nimbée d'une légende d'amour mélancolique, réfugiée dans les plaisirs intellectuels. Un bel espoir se dessine qui soulève le cœur orgueilleux de l'écrivain. L'aventure se dénouera piteusement en quelques mois ; l'amant éconduit vengera son cœur ulcéré : *La Duchesse de Langeais* (1833) incarnera les coquetteries savantes et calculatrices, les manèges hypocrites qu'une grande dame pratiquait au Faubourg Saint-Germain. Et c'était pour elle que le forçat de la plume s'était fait dandy, qu'il soutenait à force de labeurs épuisants un train fastueux. C'était pour son sourire que, bravant les reproches cruels de ses deux meilleures amies, Mme de Berny et Mme Zulma Carraud, il s'était rallié au parti des néo-légitimistes, à « ces gens-là ». Il faut encore rappeler qu'il tenait la conversation pour le plaisir de société par excellence, la distraction la plus raffinée. Il la considère comme un genre littéraire *(Autre Etude de femme, Echantillon de causeries françaises, Conversation entre onze heures et minuit)*. Sa verve délirante, « le scintillement magnétique de ses yeux aux riches reflets d'or », a dit Théophile Gautier, sa mimique et ses gestes expressifs, son imagination faisaient de lui le causeur le plus éblouissant. Mais il savait écouter.

Etude de Mœurs, c'est sous ce titre général que Balzac fit paraître en 1834, tous ses romans rangés en catégories : *Scènes de la Vie Privée, Scènes de la Vie de Province, Scènes de la Vie Parisienne, Scènes de la Vie Politique, Scènes de la Vie Militaire, Scènes de la Vie de Campagne*. Félix Davin en avait présenté l'*Introduction*. En fait, Balzac reconnut avoir inspiré, documenté, « serinetté » son ami. Il endosse tous les jugements de ce manifeste qu'il a minutieusement revu et « recorrigé ». Il s'y pose en « observateur sagace et profond » qui « épiait incessamment la nature », « l'a examinée avec des précautions infinies ». « Tout voir et ne rien oublier », telle est sa devise. Il défie qui que ce soit de prendre son « exactitude » en défaut, sur « cet examen de détails et de petits faits ». En s'appuyant sur des preuves tirées de ses romans, il réfute l'objection que lui présentent déjà des contradicteurs : « Mais ne serait-ce pas une fausse idée que de croire à tant d'expérience chez un aussi jeune homme ? Le temps lui aurait manqué... Non, M. de Balzac doit procéder par intuition ». Les deux partis sont toujours en présence. Les uns comme Champfleury et après lui tous les romanciers réalistes de l'école de Zola, ceux qu'on a appelés *la queue de Balzac*, le considéraient comme un chasseur de documents, un enquêteur inlassable, un fureteur toujours inassouvi, un confesseur. Les anecdotes sur ses pas et démarches sont inépuisables. Il annotait des petits carnets qui ne le quittaient pas. Son œuvre se serait alimentée, enrichie de toutes les observations engrangées par une ardente curiosité. Les autres, comme Philarète Chasles, Desnoiresterres, tiennent Balzac pour un divinateur, un intuitif, un voyant. Qui eût opté pour le réaliste devant Sainte-Beuve, comme Th. Gautier et Ed. de Goncourt, au dîner chez Magny, en 1863, se fût attiré cette réponse : « C'est de l'imagination, de l'invention ! crie aigrement Sainte-Beuve ». Ecoutez l'un des plus récents exégètes, M. Léon Emery : « On veut que Balzac ait été un grand observateur. Quand en eût-il trouvé le temps ? Où sont ses notes ? s'est-il jamais piqué de reproduire ce qu'il avait vu ? ne parle-t-il pas toujours de ses livres comme d'un monde sorti de sa tête ». Après l'affirmation péremptoire de Max Nordau : « Son œuvre ne doit absolument rien à l'observation... La réalité n'existait pas pour lui », l'opinion d'André Bellessort se montre conciliatrice : « A-t-il tout observé de ce qu'il raconte ? Vous ne le voudriez pas... Balzac

a beaucoup plus d'intuition que d'observation ». C'est
la bonne formule, à notre avis, parce qu'elle admet
des proportions ; elle est incomplète parce qu'elle ne distingue pas de stades chronologiques. Viendra le jour
où l'artiste, libéré de toute servitude, se confiera dans
la seule fécondité de son génie. « Je porte une Société
tout entière dans ma tête ».

Cette thèse fait trop bon marché des affirmations
contraires de Balzac. Il n'est pas nécessaire de feuilleter
longtemps quelque roman de la *Comédie Humaine* pris
au hasard, pour que le mot et la chose, l'action et son
habitude s'y révèlent. « Une ample matière aux réflexions
de ceux qui veulent observer ou peindre les différentes
zones sociales... » *(Autre Etude de femme)*. « Les événements de la vie humaine, soit publique, soit privée, sont
si intimement liés à l'architecture que la plupart des
observateurs peuvent reconstruire les nations ou les
individus dans toute la vérité de leurs habitudes, d'après
les restes de leurs monuments publics ou par *l'examen*
de leurs reliques domestiques » *(Recherche de l'Absolu)*.
« Pour empêcher les critiques de taxer de puérilités
peut-être est-il nécessaire de leur faire observer ici... ».
« A toutes les étapes de la société l'observateur retrouve
les mêmes ridicules... Aussi est-ce en comparant le fond
des plaisanteries par échelon, depuis le gamin de Paris
jusqu'au pair de France que l'observateur comprend...
Cette observation fera peut-être aussi comprendre... ».
Ces phrases sont extraites d'un même paragraphe *(La
Duchesse de Langeais)*. Dans *Madame Firmiani*, il met
en scène « un vieillard appartenant au genre des observateurs ». On peut recommencer cette expertise en vingt
endroits de *La Comédie Humaine* : elle démontrera que
Balzac entre dans la même catégorie. Remontons deux
ans en arrière, en 1830, au début de sa carrière d'écrivain,
et feuilletons le recueil de ses *Œuvres diverses*. Après de
longues heures consécutives passées à sa table de travail,
veut-il se délasser ? « Je me livre » alors » aux distrac-

tions que m'offre la nature extérieure », « mon regard
plonge à gauche et à droite chez mes voisins. J'observe... ».
Ainsi débute *L'Oisif et le Travailleur*. Justifiant avant
la lettre une remarque de Félix Davin, il donne « la vie
aux observations de Lavater en les appliquant ». On s'en
convainc en relisant la *Physiologie Gastronomique*. Il
commence cette nouvelle par des considérations sur cette
science si profonde, si utile et si agréable « découverte
par Lavater et Gall ». Au moment de pratiquer leurs
méthodes pour discerner différents genres dans l'espèce
des mangeurs, et d'entreprendre « l'inspection méditée
de leurs physionomies, de leurs attitudes, de leurs gestes,
voulant analyser toutes ses observations », Balzac déclare,
en se vieillissant de dix ans : « Depuis quarante ans,
j'observe à table ». Il en fait une démonstration dans
L'Auberge rouge. Il observe en tout lieu, dans les rues,
en diligence, dans la chaumière, dans les salons et dans
les églises, pendant le jour et pendant la nuit. Il veut
« épier les mystères cachés par les rideaux des appartements ». Il nous énumère, nous confie tous les secrets ;
il relève tout ce qui échappe à des yeux indifférents
ou inhabiles : les résultats de ces investigations sont
exposés dans *L'Epicier, Madame Toutendieu, Le Bois
de Boulogne et le Luxembourg, De la Vie de Château,
La Consultation, La Grisette, La Cour des Messageries
royales, Le Dimanche, Une Vie du Grand Monde, Un
Conciliabule Carliste, Les Horloges vivantes*, etc... Ces
titres sont assez évocateurs par eux-mêmes ; ils nous
promènent dans toutes les sphères de la société de 1830.
Ce sont toutes *choses vues*.

Il y attachait une importance égale à celle des conséquences qu'il prétendait en tirer. Dans *Le Contrat de
Mariage*, il reproche à Paul de Mannerville de ne pas
savoir « découvrir dans l'attitude ou dans la physionomie,
dans les paroles ou dans les gestes » de sa fiancée, « les
indices qui eussent révélé le tribut d'imperfections que
comportait son caractère, comme celui de toute créature
humaine ». Pour cela, « Paul aurait dû posséder non seu-

lement les sciences de Lavater et de Gall, mais encore une science de laquelle il n'existe aucun corps de doctrine, *la science individuelle de l'observateur et qui exige des connaissances presque universelles* ». A la suite de quoi, il découvre ce qu' « un homme habile à manier le scalpel de l'analyse (c'est lui-même) eût surpris chez Nathalie ». Mais, Nathalie est un personnage imaginaire, et comme d'autres en grand nombre, doit ses traits signalétiques à l'examen coutumier chez l'auteur qui prétendait déceler l'invisible psychique, son reflet presque physique sur les traits du visage, dans les lignes et la structure de la silhouette. Recueillons-en la preuve dans des notations que « *les observateurs les plus exercés* pouvaient alors seuls deviner ». Où d'autres ne voyaient rien que de très ordinaire, il remarquait des signes de premier ordre. *Sarrasine, L'Auberge rouge* contiennent de semblables réflexions.

Est-il admissible que tant et tant d'affirmations répétées, dont nous n'avons produit que quelques échantillons prélevés au hasard, correspondent seulement au souci de jouer l'opinion du lecteur ? Balzac est obsédé d'une préoccupation : tout voir, tout enregistrer pour décrire la nature, les choses, les gens, en vue de manifester les mystères d'une vie plus secrète.

Maintenant, regardons-le vivre. L'observation était chez lui, prétend-il, une disposition native, fortifiée par l'épreuve : « Il n'y a que les âmes méconnues et les pauvres qui sachent observer, parce que tout les froisse et que l'observation résulte d'une souffrance. La mémoire n'enregistre bien que ce qui est douleur ». Cette confidence, faite à Mᵐᵉ Hanska (1833), concerne ses débuts dans le monde ; il y avait ressenti des dédains. Il n'hésitait pas à voir dans « le malheur constant de ma vie » « le principe de ce qu'on a appelé si improprement mon talent ». Il se plaignait de l'abandon moral où sa mère l'avait laissé dans sa petite enfance. Il bénissait cette indifférence : elle l'avait habitué de très bonne heure à trouver du

plaisir dans la solitude, au fond d'un jardin, « à observer
les insectes », « à regarder une étoile » avec une « passion
curieuse » qu'il attribue à sa « précoce mélancolie » *(Le
Lys dans la Vallée)*. Dès lors, ne sommes-nous pas auto-
risés à prendre à la lettre cette série de ressouvenirs
enfantins ? « Qui n'a pas une fois dans sa vie, espionné
les pas et démarches d'une fourmi, glissé des pailles
dans l'unique orifice par lequel respire une limace blonde,
étudié les fantaisies d'une demoiselle fluette, admiré
les mille veines, coloriées comme une rose de cathédrale
gothique, qui se détachent sur le fond rougeâtre des
feuilles d'un jeune chêne ? Qui n'a délicieusement regardé
pendant longtemps l'effet de la pluie et du soleil sur un
toit de tuiles brunes, ou contemplé les gouttes de rosée,
les pétales des fleurs, les découpures variées de leurs
calices ? » *(La Peau de Chagrin)*. Comme Raphaël de
Valentin, comme Félix de Vandenesse, l'Enfant maudit
se familiarisa dès ses premières années, avec les phénomènes de la nature et les vicissitudes du ciel : il épiait
toutes choses « depuis le brin d'herbe jusqu'aux astres
errants » *(L'Enfant Maudit)*. Par chacun de ces personnages, Balzac traduisait un aspect profond de son
caractère, « la vie de l'enfance, la vie paresseuse ». En
ajoutant « la vie de sauvage », on peut croire qu'il songeait à ses lectures d'adolescent dans *les Lettres Édifiantes*
qui l'avaient tant fait rêver. Il devait retrouver l'atmosphère des « forêts primordiales » dans *Le Dernier des
Mohicans* de Fenimore Cooper.

Balzac mena l'existence la plus propre à enrichir sa
mémoire d'observations. Le croire toujours assis à sa
table de travail, dormant le jour pour écrire la nuit,
serait une erreur : sa robe de moine est un symbole inter-
mittent. Il avait des périodes de labeur forcené, des crises
de solitude absolue : il se retranchait alors du monde
des vivants pour ne connaître que les fantômes de son
imagination et les incorporer à son œuvre. En dehors
de ces accès, il sortait, joyeux de rencontrer ses amis,
se détendant devant un copieux menu, se débridant

dans la causerie, et puis heureux de courir de par le monde.
Qu'on se rappelle seulement sa promenade interminable
dans Paris avec Léon Gozlan pour découvrir sur les
enseignes un nom qui peindrait son personnage, un nom
prédestiné et qui fut Z. Marcas. A chaque moment,
il fait allusion à la mine, au type des passants que son
œil scrutateur a relevés sur un boulevard, dans la rue.
Que l'on songe à la multitude des milieux bariolés qu'il
traversa de Paris à Rome, Turin, Milan, Venise, Saint-
Pétersbourg, Vienne, Berlin, etc... Les personnages
d'étrangers et d'étrangères qu'on rencontre dans *La
Comédie Humaine*, il les avait peints d'après nature.
Il ne faut pas oublier qu'il fréquentait volontiers les
ambassades et entretenait des relations dans plusieurs
colonies étrangères de Paris.

La méthode inaugurée avec *Les Chouans* deviendra
une règle de composition. Balzac, avant de les décrire,
se rendra sur les lieux où il veut placer les intrigues
d'un roman, à moins qu'il ne les ait déjà visités avec
attention. Il en fut ainsi pour Alençon dans *La Vieille
Fille* et *Le Cabinet des Antiques*, Bayeux dans *Une Double
Famille*, *La Femme abandonnée*, Guérande dans *Béatrix*,
le Croisic dans *Un Drame au bord de la Mer*, Tours et
la Touraine dans *Le Lys dans la Vallée*, *La Grenadière*,
Le Curé de Tours, *La Femme de Trente Ans*, *L'Illustre
Gaudissart*, Saumur dans *Eugénie Grandet*, Angoulême
dans les *Illusions Perdues*, Issoudun dans *La Rabouilleuse*,
Limoges dans *Le Curé de Village*, Sancerre dans *La Muse
du Département*, Nemours dans *Ursule Mirouët*, Besançon
dans *Albert Savarus*, Aix-les-Bains dans *La Peau de
Chagrin*, pour bien d'autres villes et contrées dans beaucoup d'autres romans. De nombreux érudits et archéo-
logues, tels que MM. de Contades pour Alençon, Etienne
Aubrée pour Fougères, Maurice Serval, Albert Arrault,
J.-E. Weelen pour Tours et la Touraine, Fray-Fournier
pour Limoges, etc., ont vérifié l'exactitude des descriptions, sites, monuments, maisons, rues : elle est très
souvent complète, toujours expressive ; si elle s'écarte

du réel, elle donne toujours la sensation du vrai. L'œuvre
de Balzac est un album de croquis très poussés, où sont
rassemblés les paysages qui gardaient quelques lambeaux
de son cœur, les sensations de son être si frémissant.
Non content de noter ses visions et leurs effets sur sa
sensibilité, il interrogeait même les passants pour demander l'explication d'un détail, il se pourvoyait d'un plan.

Il n'étudiait pas seulement les lieux, mais il se docu-
mentait sur les époques historiques, sur les questions
scientifiques dont il voulait traiter. Il s'informait, il questionnait les gens qui avaient vécu sous l'Ancien Régime,
comme son ami M. de Villers, ancien abbé de Cour et
ancien Maître de l'oratoire du Comte d'Artois, comme la
mère de Mᵐᵉ de Berny, femme de chambre de la Reine
Marie-Antoinette ; ou sous l'Empire, comme la Duchesse
d'Abrantès, etc... Veut-il exposer des théories musicales
dans *Massimilla Doni* ? Il se met à les étudier. Grand ama-
teur de musique, il comprend que son goût ne suffit pas.
Il se fait jouer et rejouer par un vieux musicien allemand,
le *Moïse* de Rossini, lui demande maintes explications.
Il peut en toute exactitude donner dans son roman une
longue analyse de cet opéra. Veut-il reconstituer l'atmosphère du bagne, peindre les mœurs des criminels et
des policiers, reproduire leur argot ? Il ne se contente
plus des *Mémoires de Vidocq*. Il lui faut des contacts
directs, des conversations avec Vidocq lui-même, ancien
forçat devenu chef de la Sûreté. Que d'impressions,
de renseignements il en retire ! Ils lui serviront pour
Le Père Goriot où Jacques Colin dit Vautrin revêt la singulière et forte individualité de son modèle, tel que nous
la présente Léon Gozlan dans *Balzac chez lui*. Le romancier
se ménage des entrevues avec l'ancien bagnard, le reçoit
à sa table, aux Jardies. Il s'entend conseiller par lui
de s'appuyer sur « la réalité » ; et Vautrin raconte ses
histoires, et l'horrible existence des forçats. Farrabesche
à son tour les racontera dans *Le Curé de Village*.
Le bagne, les prisons, les instructions criminelles, les
interrogatoires composeront l'ambiance atroce, sombre,

maléfique de *La Dernière Incarnation de Vautrin*, quatrième partie de *Splendeurs et Misères des Courtisanes*. L'argot de la pègre, assassins et voleurs, nous offrira toute sa saveur et ses images brutales, ingénieuses, terribles. Bibi Lupin, chef de la police de sûreté, les policiers Louchard, Contenson, Peyrade, Corentin seront plus ou moins modelés sur le patron de Vidocq.

Le même procédé d'information lui permettra de décrire des épisodes militaires soit isolément, *El Verdugo*, *Adieu*, soit par insertion dans un roman, *Les Marana*, *Le Médecin de Campagne*, *Une Ténébreuse Affaire*. Chez le ménage Carraud dont le mari, commandant, était instructeur à l'Ecole de Saint-Cyr, il rencontrait d'anciens officiers des armées impériales, tel le commandant Périolas, qui lui narraient leurs aventures. Il devait également beaucoup d'anecdotes au général de Pommereul. Il consignait tout cela, notait les détails frappants. On en retrouve les traces dans son album, *Pensées, Sujets, Fragmens*. Il y a mieux encore pour prouver avec quel bonheur il suppléait à la carence d'une vision personnelle. En 1832, il séjournait chez les Carraud qui résidaient alors à la Poudrerie d'Angoulême ; leurs amis venaient voir et entendre l'écrivain déjà célèbre. L'un d'eux, le commissaire Grand-Besançon avait beaucoup voyagé, surtout aux Indes et en Malaisie. Balzac le questionnait avidement. Il sut tirer de lui les éléments d'un très long article destiné à la *Revue de Paris*, intitulé *Voyage de Paris à Java* : tout y est éblouissant d'esprit, sémillant de verve, mais la peinture des sites, la relation des mœurs indigènes sont revêtues de couleurs assez authentiques pour qu'on puisse à l'occasion évoquer l'exotisme romantique, et l'idée que les gens de 1830 se faisaient de ces îles très lointaines et merveilleuses. Et encore. Il n'avait jamais vu les fiords. Il les décrivit dans *Séraphîta* (1835), avec une telle ressemblance que les Norvégiens eux-mêmes s'en déclarèrent suffisamment satisfaits. Ne croirait-on pas que, dès 1830, il songeait à situer une intrigue dans un paysage nordique, quand il donnait ce conseil à la Comtesse d'Oultremont, dans un article *De la Mode en Littérature* ? « Je pourrais vous dire d'étudier la couleur locale de la Laponie, et vous nous construiriez un admirable Spitzberg avec des glaces bien naturelles, une aurore boréale que vous n'auriez pas vue, et les rennes, les arêtes de poisson, l'huile de baleine, l'horizon de neige, les ours blancs et les lichens ...».

On n'en finirait pas de citer les preuves du soin avec lequel s'effectue cette documentation même pour des menus faits. Qu'il s'agisse de chimie dans *La Recherche de l'Absolu*, des théories swedenborgiennes dans *Séraphîta*, des théories magnétiques, mesmériennes dans *Ursule Mirouët*, et de bien d'autres, Balzac, avant de les faire vivre ou discuter par ses personnages, s'en est pénétré lui-même, si bien que très souvent il ne peut s'empêcher d'intervenir dans le récit pour nous donner son avis. Il prenait ses renseignements auprès des spécialistes ou d'hommes compétents. Il s'efforçait d'assimiler la substance scientifique.

Un problème que la critique pose avec insistance, tourne autour de la valeur historique de *La Comédie Humaine*. Personne ne conteste que cette œuvre soit un tableau vivant, animé, pittoresque. Mais certains exégètes se demandent s'il est exact, ressemblant ? si, comme Balzac l'a prétendu, son œuvre est « une histoire de la Société peinte en action », « une histoire complète » sur la France au XIXe siècle », « le tableau de la Société moulée, pour ainsi dire, sur le vif avec tout son bien et tout son mal » » ? Brunetière n'hésitait pas à répondre par l'affirmative. Taine, Albert Sorel faisaient grand cas de Balzac historien de son siècle. *La Comédie Humaine* reproduit, tous les mouvements de la vie politique et sociale de 1789 à 1848 ; chouannerie, agitations révolutionnaires, splendeurs impériales, aveuglements et irréductibles entêtements de l'aristocratie sous la Restauration. L'avènement des puissances financières, la montée de la bourgeoisie, l'arrivisme forcené de plusieurs hommes politiques, l'importance croissante des gens d'affaires, la déchéance de la noblesse figée dans ses regrets stériles, le triomphe des aspirations démocratiques, les élans du clergé social entraîné par l'éloquence de Lamennais, les projets audacieux et généreux du Saint-Simonisme, toutes les secousses qui remuèrent si profondément toutes les classes, en changèrent l'aspect, au moment de la Révolution de Juillet et sous le règne de Louis-Philippe sont observés, relatés, décrits dans *La Comédie Humaine*, étudiés dans leurs causes et leurs effets publics et privés.

Dans leurs hommes aussi. Un grand nombre de ceux qui émergèrent par leur rôle politique, ou par leur intelligence des besoins actuels, ou par leur influence scientifique, philosophique, littéraire, artistique, sont nommément désignés (1). D'autres figurent sous des personnages fictifs, très souvent composites. Ne traitons point de jeux vains, les recherches entreprises pour identifier ces derniers. Elles permettent d'asseoir solidement les jugements portés d'autre part par Balzac sur les catégories sociales que ces individualités représentent.

Arrêtons-nous à la peinture de l'aristocratie, du Faubourg Saint-Germain. Encore aujourd'hui on discute volontiers de sa véracité (2). Sainte-Beuve, qui avait ses raisons de ne pas aimer Balzac, le flagella sans pitié : « Il a de l'invention et des parties de génie dans l'observation des mœurs — de certaines mœurs — ». Il ne lui conteste pas de « savoir peindre et décrire »... mais le monde interlope, alors qu'il travestit de fausses élégances les gens du monde, et surtout les femmes du monde. Gustave Lanson, circonscrivant le débat autour de

---

(1) Une remarque de la Duchesse de Dino, nièce de Talleyrand, qui avait retenu Balzac à dîner, en 1836, lors d'une visite qu'il fit au Prince, séjournant alors au château de Rochecotte, en Touraine, fixe le romancier dans une attitude significative : « Il nous a tous examinés et observés de la manière la plus minutieuse, M. de Talleyrand surtout ».

(2) Cf. Ramon FERNANDEZ, *Balzac*, p. 13.

celles-ci, reproche au peintre d'histoire son inexactitude
dans leurs portraits. Balzac n'a-t-il pas été classé comme
« l'un des plus diffamateurs des classes dirigeantes »,
par Thureau-Dangin dans son discours de réception
à l'Académie Française, en 1893 ? Ce dernier le déclarait
encore « à peu près incapable de créer un type pur de
femme et de jeune fille » : de quoi Jules Claretie fit sévère
justice.

On pourrait élargir le débat sur la Société aristocratique, le poursuivre par comparaison jusqu'aux romanciers contemporains : Bourget, Marcel Proust, Emile
Baumann, Mme Claude Silve, et d'autres écrivains non
suspects de diffamation parce qu'appartenant par droit
de naissance à cette zone sociale, jusqu'aux historiens
de profession et aux chroniqueurs du commencement
du XXe siècle. Face aux *Cabinet des Antiques*, à *Béatrix*,
à *La Duchesse de Langeais*, au *Lys dans la Vallée*, etc.,
on dresserait *L'Emigré*, *L'Etape*, *L'Ecuyère*, et d'autres
romans de Paul Bourget. On arriverait à cette conclusion que, malgré la désagrégation de la classe aristocratique, il était possible — du moins avant 1940 — de
rencontrer dans plusieurs quartiers de Paris, et en
province, des îlots de société où s'était conservé tout
un ensemble de mœurs, d'habitudes, fixés dans le
tempérament et continuant d'agir sur les choses et sur
les gens, comme Balzac les avait dépeints à l'époque
de la Restauration et du règne de Louis-Philippe. C'est
« une atmosphère désuète qui n'a pas été troublée par
les grands courants d'air de notre temps », disait Albéric
Cahuet, à propos de *L'Ecuyère*, en 1920. Elle imprégnait
de majesté nostalgique et dormante les vieux hôtels
du Faubourg Saint-Germain que régentait toujours la
rigidité de principes immuables, d'usages surannés. Les
murs, les décors, l'apparat cérémonieux façonnaient toujours les esprits que ne désertaient point pour cela certaine désinvolture impudente (1), certaines audaces dans

(1) Rappelons un trait encore observable. Avec quel dédain la

la galanterie musquée. On conclut que les successeurs
de Balzac discernaient exactement, dans les mœurs et
les caractères des descendants, les mêmes marques, les
mêmes travers que lui-même avait si bien observés.
C'est à dessein qu'en tête de ce chapitre nous avons
placé l'esquisse de l'écrivain déjà célèbre, introduit dans
les sphères de la haute société parisienne. La preuve y
est qu'il parlait de ceux et celles qu'il avait bien vus,
bien entendus, que ses portraits et ses tableaux sont
brossés d'après des modèles vivants, et non pas de chic.
On dirait que les dénigreurs de cette ressemblance assou-
vissent la vengeance de leurs aïeux ; c'est comme un
legs de la tradition.

Mais à quel degré son initiation fut-elle poussée ?
Des historiens, des critiques, des spécialistes ont commencé de vérifier la valeur historique de *La Comédie
Humaine*. Citons entre autres Le Nôtre dans la *Chouannerie normande au temps de l'Empire*, à propos des épreuves
que subissent Mme de la Chanterie et sa fille *(L'Envers
de l'Histoire contemporaine)* ; Marc Blanchard, dans *La
Campagne et ses Habitants dans l'Œuvre de Balzac*, à
propos des vues sociales, et des théories économiques,
agricoles émises dans *Le Lys dans la Vallée*, *Le Médecin
de Campagne*, *Le Curé de Village*, *Les Paysans*, etc...
De nombreuses études, des articles innombrables concer-
nent *le Monde judiciaire*, *la Police et les Policiers*,
la Médecine et les Médecins, *la Religion et les Prêtres
dans la Comédie Humaine*, *la Musique et les Musiciens*,
les Arts et les Artistes, *la Finance et les Banquiers*, etc...
Dans l'ensemble, leurs conclusions admettent une exac-

Duchesse de Langeais, estropie à plaisir le nom du père Goriot,
un ancien vermicellier dont la fille a redoré le blason du Comte de
Restaud. « Ce père Goriot... Doriot... Moriot... ». Ce n'est pas *un nom
connu...*, on peut l'écorcher. Cette observation passagère rejoint
la vérité générale exprimée par La Bruyère : « Si l'on feint quelquefois de ne pas se souvenir de certains noms que l'on croit obscurs,
et si l'on affecte de les corrompre en les prononçant, c'est par la
bonne opinion qu'on a du sien ». *Les Caractères*, au ch. *De la Société
et de la Conversation*.

titude dans la peinture des types, dans la facture des portraits composites, dans la reconstitution de l'atmosphère. Quant à la documentation technique, elle est menée plus ou moins profondément suivant la matière ; elle est parfois incomplète et superficielle. Dans l'étude la plus récente (1945), *Balzac, les Médecins, la Médecine et la Science*, le Dr Bonnet-Roy fait quelques réserves sur la compétence du grand écrivain. Il constate que dans une large mesure Balzac s'est intégré les théories et l'idéologie savante et doctrinale de son temps, professées par de nombreux médecins qu'il avait connus et fréquentés. Il constate un double courant d'information réaliste, mais aussi de déformation imaginative dans certains diagnostics : « Pathologie romancée », basée sur des affirmations péremptoires, une généralisation souvent abusive. Une intuition géniale supplée parfois à une connaissance positive, clinique et biologique. Il n'empêche que Balzac s'est assez méthodiquement renseigné pour décrire avec certitude les maux dont sont atteints ses personnages.

Il n'eut qu'à mettre en œuvre ses expériences et ses observations lorsqu'il voulut décrire et juger la Presse de son temps, peindre les mœurs des journalistes parisiens. C'est l'objet d'*Un Grand Homme de Province à Paris* (2e partie des *Illusions Perdues*) (1839). Ces tableaux, ces portraits sont criants de vérité, « d'une effrayante exactitude », écrit-il à Mme Hanska. Et encore le 2 juin 1839 : « Ce n'est pas seulement un livre, mais une grande action courageuse, surtout les hurlements de la presse durent encore ». Balzac connaissait bien ce dont il parlait : il avait collaboré — nous l'avons dit — à de nombreux journaux à partir de 1830 ; il avait essayé d'en fonder plusieurs. Il avait souffert des attaques, souvent venimeuses et injustes, que la jalousie dictait à l' « Ordre Gens de lettres » contre lui. Il s'est vengé en restant fidèle à la vérité. Nous sommes en présence d'une violente satire dans *Illusions Perdues*, et aussi dans une *Chronique de la Presse*, parue dans la *Revue Parisienne* le 25 août 1840, puis dans la *Monographie de la Presse Parisienne*. Cependant des historiens compétents ont constaté dans les personnages et les épisodes du roman, les traits authentiques des habitudes journalistiques contemporaines. Ils ont identifié les unes et les autres. Le héros principal, Lucien Chardon de Rubempré, reproduit certains procédés de Sainte-Beuve et de Jules Janin, et certaines aventures d'Albéric Second. De l'aveu de Balzac, Lousteau le feuilletonniste, c'est Sandeau. Il y a du Gozlan dans Nathan ; du Girardin, dans Finot ; du Roqueplan dans la Palférine *(Un Prince de la Bohême)*. Ces ressemblances plus ou moins accusées confèrent de la solidité à la base historique. On en découvrirait encore à propos de Blondet et de Vignon, critiques aux *Débats*, de Félicien Vernon, le chroniqueur haineux et anticlérical, d'Hector Merlin, le chef de la presse royaliste ; du caricaturiste Bixiou, etc... Les dessous honteux, les rouages secrets, les marchandages, les chantages, les vengeances personnelles, l'esprit de colère, le manque total de conviction caractérisent cette Presse de la Restauration et de la Royauté Bourgeoise ; elle est un commerce. Le bureau du journal, la salle de rédaction, l'officine de l'éditeur et du libraire ont leurs coulisses où se débattent des marchés malhonnêtes et parfois infâmes. Blondet nous le déclare : « La presse n'est plus faite pour éclairer, mais pour flatter les opinions. C'est une boutique où l'on vend au public des mots de la couleur dont il veut ». La corruption règne, s'étale ; elle gagne les moindres feuilletonnistes, comme les directeurs ; les bureaux d'un journal sont « les mauvais lieux de la pensée où se prostituent toutes les formes de la littérature ». Mais que dire de la Critique ? Les éloges, les blâmes s'y pèsent au trébuchet. Les réputations se font et se défont à coup de billets de banque et de surenchères. « Mais nous sommes des marchands de phrases et nous vivons de notre commerce... ; des articles lus aujourd'hui, oubliés demain, ça ne vaut à mes yeux que ce que l'on paie ». Ainsi parle Félicien Vernon, l'un des plus cyniques de la bande, qui s'en prend à tous de la sordide existence où le confine son mariage avec une grosse cuisinière. Voici le principe de haute école qui justifie cette conduite vénale. « Tout est bilatéral dans le domaine de la pensée. Les idées sont binaires ; Janus est le mythe de la Critique et le symbole du génie », enseigne Blondet à Lucien de Rubempré. Autrement dit, c'est une preuve de talent pour un critique de combattre le lendemain le jugement qu'il a émis la veille, ou même de rédiger deux articles contradictoires l'un après l'autre. Balzac avait une haute idée du journalisme : il voulait qu'il fût un « sacerdoce respectable et respecté ». Aussi, face à cette troupe de bohêmes et de pantins, il a dressé le Cénacle de Michel Chrestien, Joseph Bridau, Léon d'Arthez et de ses amis. Ceux-ci sont vertueux, incorruptibles, et professent que le travail et la probité sont les seuls chemins du succès et de la vraie gloire : leur stoïcisme suppose une volonté d'airain et le mépris de l'argent et de l'hypocrisie. Jamais l'art de Balzac n'a su donner la sensation du vrai avec autant de profondeur. En flagellant si cruellement les vils écrivains qui prostituent leur talent comme Lousteau, il n'en a pas moins souligné l'esprit si délié, instrument acéré que manie si alertement le tempérament français. Les *Illusions Perdues* sont encore une page d'histoire littéraire où sont étudiés les modes et les genres, les idées en vogue sous la Restauration. On y rencontre des formules frappantes qui ramassent des jugements portés avec fermeté, exprimés avec raillerie. Cette étude sur le journalisme équivaut à un chapitre de *Mémoires*, écrit avec conscience, émotion, verve et couleur. Ce sont les qualités de Balzac historien.

Mais il a deviné et prédit le rôle immense de la Presse, l'influence qu'elle exercerait en tous les domaines. « Le Journalisme sera la folie du XIXe siècle ». Libre à chacun de vérifier la justesse de l'expression en comparant l'état actuel de la Presse avec le déchaînement de passions, de haines, de rivalités que nous a décrites Balzac ; à chacun d'émettre son jugement.

Observation, Intuition, sont les deux pôles où est concentrée la vertu magnétique de sa puissance créatrice. Il avait engrangé dans son cerveau un peuple infini d'images, de souvenirs. Quand il puisait dans cette moisson d'art, une sorte de délire s'emparait de lui. Alors se produisait le miracle de l'invention vraie. Lui-même l'a décrit dans la *Préface* de *La Peau de Chagrin*. « Il se passe chez les poètes ou chez les écrivains réellement philosophes un phénomène moral, inexplicable, inouï, dont la science peut difficilement rendre compte, C'est une sorte de seconde vue qui leur permet de deviner la vérité dans toutes les situations possibles ; ou mieux encore, je ne sais quelle puissance qui les transporte là où ils doivent ou ils veulent être. Ils inventent le vrai par analogie, ou voient l'objet à décrire, soit que l'objet vienne à eux, soit qu'ils aillent eux-mêmes vers l'objet... Les hommes ont-ils le pouvoir de faire venir l'univers dans leur cerveau, ou leur cerveau est-il un talisman avec lequel ils abolissent les lois de l'espace et du temps ? » (*Préface* à la 1re édition de *La Peau de Chagrin*). Beaucoup d'autres déclarations autorisent à croire que Balzac avait été doué par les Fées de facultés psychiques spéciales qui lui permettaient la *vue intuitive* : il se croyait *un voyant*. Diderot avait déjà décrit cette « qualité d'âme particulière, secrète, indéfinissable, sans laquelle on n'exécute rien de très grand et de très beau ». Elle est la marque du « génie », chez les poètes, les philosophes, les orateurs... Il ne sait à quelle disposition mentale ou physique l'attribuer. Il faut y joindre « l'esprit observateur » qui « s'exerce sans effort, sans contention ; il ne regarde point ; il voit... Il n'a aucun phénomène présent, mais ils l'ont tous affecté et ce qui lui en reste, c'est une espèce de sens que les autres n'ont pas..., une sorte d'esprit prophétique » (cité d'après Curtius, *Balzac*, p. 322).

« Chez moi l'observation était devenue l'intuition, elle pénétrait l'âme sans négliger le corps ; ou plutôt elle saisissait si bien les détails extérieurs qu'elle allait sur le champ au delà : elle me donnait la faculté de vivre la vie de l'individu sur laquelle elle s'exerçait, en me permettant de me substituer à lui... » (Début de *Facino Cane*).

Rompu comme un augure à l'interprétation des signes, Balzac enfonce son regard jusque dans le vif des fantômes qui l'assaillent. Il en sonde les reins et les cœurs. Ne sont-ils pas des vivants pour lui ? Il saisit tout de cet être maintenant humain, il lui dévoile ses actes secrets, son passé, son avenir et les pensées honteuses et les passions cachées. Il devance les combinaisons du destin trop lent à le suivre. Il court devant l'observation, pressé par sa fécondité « monstrueuse » et « nécessaire ». Le moment est arrivé : son génie intuitif suffit maintenant tout seul à mettre en mouvement, *vita in motu*, toutes les réalités terrestres et spirituelles, asservies pour son art. Compagnes chéries de ses veilles, les ombres accourent, elles affluent, elles grouillent sous ses yeux hallucinés. Il les regarde s'agiter, danser, se mêler, vivre, s'accoupler : c'est le grand sabbat nocturne. Ce n'est plus une copie qu'il nous présente. Ce n'est pas l'un et l'autre d'entre les mortels qui peuvent se reconnaître dans le miroir magique. C'est un tel et un tel de *La Comédie Humaine* ; c'est le père Goriot, c'est le père Grandet, c'est Monsieur Balthasar Claës, c'est la mère Cibot, c'est Véronique Graslin, c'est Diane de Maufrigneuse, et les de Marsay, du Tillet, de Trailles, et c'est la Fille aux yeux d'or, une humanité dont on se demande quelle planète l'a vue naître. On contemple ces échantillons d'une espèce étrange et l'on redit avec étonnement sa parole, à lui, de demi-dieu : « L'art serait-il donc tenu d'être plus fort que la Nature ? » Tel est le miracle balzacien.

Sous la transparence de l'individualité nous touchons à l'homme universel : Balzac continue la lignée des grands classiques. Pourtant, l'enchantement se rompt tout à coup par l'éclat ironique d'un quidam. « Ma concierge, mais c'est la mère Cibot ». — Et d'un autre : « Hier au soir, quand elle est arrivée, toute pimpante au bal des X..., j'ai cru voir Diane de Maufrigneuse. *Quelle vamp* ! » Voilà pourquoi chaque jour, tant de gens racontant quelque événement mésusent de ce vocable. « C'est tout à fait *balzacien !* »

Il est vain, il est erroné d'opposer en lui le romancier et l'historien, l'idéaliste et le réaliste. Ils se compénètrent et se complètent l'un l'autre ; nous l'avons déjà dit ; nous le démontrerons à propos de la structure des caractères. Pour ce qui est de Balzac, l'un n'existerait pas sans l'autre. Que ses plus célèbres créations soient des types portés à une puissance très élevée, dans leur vice ou dans leur vertu, les Gobseck, Grandet, Vautrin, Hulot, de Marsay, etc., qui, heureusement pour l'humanité, ne sont que des types exceptionnels — je ne veux parler que des vicieux —, il n'en est pas moins certain qu'ils sont vrais dans tous leurs détails. Personne, aujourd'hui, ne conteste plus à Balzac son titre d'historien des mœurs. Il nous a bien légué sur la France au XIXᵉ siècle, « ce livre que nous regrettons tous, que Rome, Athènes, Tyr, Memphis, la Perse, l'Inde, ne nous ont malheureusement pas laissé sur leurs civilisations » *(Avant-Propos)*. « Il a écrit, disait George Sand, « pour les archives de l'histoire des mœurs, les mémoires du demi-siècle qui vient de s'écouler ». Dès ses premiers romans, il notait soigneusement les formes désuètes du costume, des accessoires vestimentaires, des usages, des objets, survivances « du siècle dernier », qui font paraître étranges ou comiques dans un monde évolué, les vieillards ou les originaux restés fidèles aux modes et anciennes manières. Il est toujours demeuré curieux de ces anachronismes vivants, attentif à ces particularités comme un archiviste, un archéologue, un annaliste. N'est-ce pas là l'attitude par excellence de l'historien et du chroniqueur ? L'opinion de Flaubert reste indiscutable : « Nul, plus

tard ne pourra écrire l'histoire du règne de Louis-Philippe
sans consulter Balzac ». On peut en dire autant des
règnes de Louis XVIII et de Charles X. Les documents
dont elle abonde, donnent à *La Comédie Humaine* « la
valeur d'un livre d'annales ». Brunetière, dans son *Balzac*,
affirme qu'elle équivaut à des *Mémoires pour servir à
l'histoire de la Société de son temps*. Pour finir, je suis
de ceux qui n'estiment point exagéré le jugement d'Anatole France sur Balzac : « Je le tiens pour le plus grand
historien de la France Moderne, qui vit tout entière dans
son œuvre immense ».

CHAPITRE IV

LE RÔLE DÉTERMINANT DE LA DESCRIPTION

Avec la tournure d'esprit que maintenant nous lui connaissons, nous ne serons pas surpris que Balzac accorde une très grande place, dans l'économie de ses romans, aux descriptions et une importance capitale à leur rôle. C'est un procédé significatif par méthode composante : dessin précis, palette chargée, détails reproduits avec minutie. En outre les lignes et les couleurs mettent très fortement en relief et en lumière quelques objets, « quelques singularités » où l'observateur voit avec raison « plus d'un problème à résoudre ». Les *Scènes de la Vie Privée* sont comme une galerie où le faire de l'artiste trahit son intention : il n'assouvit pas seulement le plaisir de dominer la nature en la captant sur sa toile, il l'introduit comme une actrice, qui joue son rôle à part, intervient dans le jeu des péripéties et les mouvements de l'intrigue. Dès qu'on la saisit, cette particularité condamne le décri où certains veulent maintenir ces descriptions, à cause de leur abondance et de leurs « interminables » longueurs. Nous voudrions la définir par quelques exemples, empruntés, les uns aux *Scènes de la Vie Privée* (1830-1832), les autres aux romans composés vers la fin (1846).

Arrêtons-nous pour contempler, rue Saint-Denis, la vieille maison de M. Guillaume, marchand drapier, « sa

grotesque façade » arborant pour enseigne un Chat qui
pelote *(La Maison du Chat-qui-pelote)* : Faubourg Saint-
Germain, l'hôtel « antique et somptueux » de la Duchesse
de Langeais ; rue du Tourniquet-Saint-Jean, le sombre
logis où Caroline Crochard habite avec sa mère ; au
coin de la Vieille-Rue-du-Temple et de la rue Neuve-
Saint-François, l'hôtel où sévit l'austère et réfrigérante
bigoterie de Mme de Granville ; rue Taitbout, la maison
neuve où le mari de celle-ci, cache ses fausses amours
avec Caroline *(Une Double Famille)*. Puis nous monte-
rons les escaliers, nous pénètrerons dans le magasin,
dans les salons, boudoirs, chambres à coucher.

Avant qu'aient paru ces habitants, leurs passions,
les secrets de leur âme, se sont déjà trahis devant nous
par le décor extérieur et intérieur de la demeure où un
mauvais sort les avait contraints à chercher domicile,
à moins que leurs goûts, leurs caprices ne l'eussent délibérément élu. Lorsque Balzac imagine une mise en scène,
trois mots reviennent souvent sous sa plume : il suppose
toujours qu'un *observateur* interprète les *singularités*
des choses et des personnes et y découvre l'*harmonie*,
que lui-même a *préétablie* entre ces détails et l'âme des
gens qu'il pousse sur le théâtre du drame. Il n'a pas de
peine à voir ces rapports. N'en est-il pas à la fois l'observateur et le créateur ? « Tout y est en harmonie » parce
qu'il l'a voulu tel et qu'il tend à démontrer ce principe :
« la science du décor », où entrent les connaissances
de l'archéologue et de l'antiquaire, est infaillible pour
exprimer le complexe physique et mental de l'occupant.
Il est l'ordonnateur qui marque le concert des parties
et l'unité d'attention. Il est en même temps « un de ces
tapissiers qui guident les artistes », on dirait aujourd'hui
un de ces habiles ensembliers qui font de la psychophysio-
logie appliquée, interprétant ou devançant les préférences
de leurs clients. Ceux-là peuvent le revendiquer pour
illustre devancier. Le boudoir de la duchesse de Carigliano, le salon de Mme de Granville, la chambre à
coucher de Caroline Crochard (*alias* Caroline de Belle-

feuille), pourraient être reproduits en aquarelles avec
le texte de leur description, dans un magazine de haut
luxe : ce serait une réclame séduisante pour quelque
fabricant de meubles. Chacun d'eux : lit, secrétaire,
commode, tentures, glaces, rideaux, etc., traduisent
l'esprit de celles qu'ils entourent, dont ils rehaussent
la beauté et secondent les charmes. Mme de Granville
au contraire « inscrit son propre caractère dans un
monde de choses » où tout est « discord » ; la mesquinerie,
l'étroitesse, la sécheresse, la raideur de sa dévotion essentiellement formaliste se devinent dans ces arrange-
ments.

Balzac entreprenait une tâche que, douze ans plus
tard, il considèrera, non sans complaisance, en s'inti-
tulant « conteur des drames de la vie intime, archéologue
du mobilier social ». C'est soudainement mis à jour un
principe déterminant dont il tirera toutes les conséquences. Les individus qui s'en affranchissent courent
habituellement à leur perte ; habituellement, pas toujours, « car l'État Social a des hasards que ne permet pas
la Nature ». Les monuments façonnent les âmes, leur
inculquent l'observance des lois convenant au développement de l'Espèce. Ces âmes changent-elles d'habitat ?
Elles périclitent. Les situations morales sont en fonction des modifications matérielles, peut-être pourrait-on
dire locales.

Utilisons *La Maison du Chat-qui-pelote* pour démontrer
le bien fondé de ces vérités balzaciennes. C'est le premier
roman où sont inaugurés un ensemble de procédés que
Balzac érigera bientôt en système. Ici trois descriptions
précèdent trois situations décisives ; elles annoncent par
des contrastes la suite des péripéties où se jouera le destin de l'héroïne ; elles en marquent les tournants. D'abord
se dresse la maison commerciale dont la vétuste apparence, miracle archéologique, perpétue un genre de vie
qui doit s'accommoder aux êtres d'une bâtisse séculaire.
Son enceinte avait formé Augustine Guillaume aux vertus

modestes, à l'idéal pratique de la ménagère, au bon sens
mercantile, prosaïque, mais scrupuleux dans la probité.
Elle promettait les bonheurs simples de la famille, les
joies qui récompensent une existence laborieuse et avant
toutes le plaisir d'économiser un argent gagné par des
travaux obstinés. « Dans le silence des comptoirs obscurs »,
la jeune fille « fleurissait comme une violette dans la
profondeur d'un bois », garantie contre les orages de la
passion. Comment la fantaisie, la libre humeur, l'enthousiasme poétique, les mirages de l'imagination, les caprices,
parfois le délire de l'inspiration fougueuse pourraient-ils
s'accoupler avec l'ordonnance réglée, l'horaire ponctuel,
les tâches monotones, dont pourtant les résultats positifs
s'inscrivaient sur le grand livre de comptes que tiendrait
après sa mère, Augustine, quand elle serait devenue
l'épouse du commis, successeur de son père ? Ce disparate se présente sous la figure d'un artiste peintre, noble
de naissance, Théodore de Sommervieux, séduit par la
beauté de la jeune fille. Le malheur est inscrit dans cette
rupture d'une tradition immémoriale, symbolisée, pro-
tégée jusque-là par la vénérable maison ; Augustine cède
aux attraits de son amour. Individualiste, elle rejette
les conseils de ses parents ; elle épouse le peintre.

Voici la deuxième description et le deuxième contraste.
Après qu'ils eurent savouré pendant une année, les
délices de la lune de miel, l'incompréhension s'établit
insensiblement entre les deux conjoints. L'éducation
d'Augustine ne l'avait point préparée à vivre dans un
milieu d'artistes ; elle est incapable de s'y adapter,
de correspondre aux fantaisies que provoque l'enthousiasme de Théodore pour son art. Trop prude, trop rigide
dans l'application des principes qu'elle tient de sa mère,
elle inspire à son époux une froideur qui va croissant :
il se détourne d'elle. L'insignifiance de son esprit ne
parvient pas à reléguer ses préjugés. Quoiqu'elle s'efforce
de reconquérir le cœur de son mari, c'en est fait de son
bonheur. Théodore de Sommervieux déserte fréquemment
l'appartement conjugal bien qu'un enfant y soit né,

Il s'attache à la duchesse de Carigliano une « célèbre
coquette de la cour impériale ». Désespérée, « pleurant
des larmes de sang », Augustine décide de recourir aux
conseils et aux consolations de sa famille.

Un petit hôtel bourgeois de la rue du Vieux-Colombier
s'ouvre devant nous. Le ménage Guillaume s'y consume
dans l'ennui, après avoir cédé son fonds de commerce
à la fille aînée Virginie, la sage, et prudente et sensée,
celle qui s'est mariée avec le premier commis de son
père, Joseph Lebas. Le luxe froid doré et argenté, sans
goût, fait de cette demeure « un bazard », et de chaque
pièce « une chapelle ». Tout cela paraît aux yeux d'Augustine, maintenant jeune femme évoluée, comme l'image
d'un monde artificiel, arriéré, vide des sentiments et
« des idées qui font vivre ». La crise se complique. Comment attendre des lumières, des avis éclairés, une aide
dans son malheur, de gens aussi mesquins, pour qui la
carte du Tendre et ses tracés sentimentaux sont des
niaiseries, des contes à dormir debout. Il faut chercher
ailleurs. Même impression, même contraste, quand
Augustine, le cœur endolori, se présente devant Joseph
et Virginie Lebas. Leur ménage continue, dans le vieux
magasin, l'existence pondérée, mécanique qui assure
l'antique honneur du Chat-qui-pelote. Près d'eux l'âme
plaintive de leur sœur ne trouve aucun écho. Ils lui
répondent par des lieux communs sur la morale de la
rue Saint-Denis ; celle-là suffit à leur simple conduite.
Augustine, par son évasion, avait depuis longtemps
répudié ces préceptes. La rupture est totale. L'infortunée
fuit avec soulagement ces gens à l'esprit obtus, et leur
horrible maison. Ces deux visites n'en faisaient qu'une ;
ces deux locaux différents d'aspect, n'en faisaient qu'un ;
l'hôtel sans élégance des parents, morne, était comme
un arrière-magasin, plus orné, voué au repos des patrons.
Elle sort de là écœurée, considérant que sa vie est man-
quée, accusant de cette infortune les gens confinés dans
ces murs fermés sur le dehors. C'était entre ces murs,
par eux, que son cœur contraint, accablé de leçons

qui le rabaissaient à des exigences étroites, vulgaires,
avait vu barrer tout élan vers l'altitude sentimentale.
Qui donc l'aurait initiée aux secrets exaltants d'un
amour qui dompte et domine les hommes ? Il est trop
tard.

La troisième description par un contraste plus violent, plus compliqué, va révéler à la jeune femme l'abîme
qui la sépare de son mari, où sombre déjà son bonheur.
S'armant d'un courage « surnaturel », la timide Augustine
résolut d'affronter la Duchesse de Carigliano, la grande
dame altière, qu'on lui avait révélée comme sa triomphante rivale. Comment la modeste violette supporte-
ra-t-elle la touffeur des antiques et somptueux hôtels
du Faubourg Saint-Germain ? Elle n'y était jamais
entrée. « Quand elle parcourut ces vestibules majestueux,
ces escaliers grandioses, ces salons immenses ornés de
fleurs malgré les rigueurs de l'hiver, et décorés avec ce
goût particulier aux femmes qui sont nées dans l'opu-
lence ou avec les habitudes distinguées de l'aristocratie,
Augustine eut un affreux serrement de cœur. Elle envia
les secrets de cette élégance dont elle n'avait jamais eu
l'idée ; elle respira un air de grandeur qui lui expliqua
l'attrait de cette maison pour son mari ». Venue dans
l'intention de s'instruire auprès de la Duchesse des arti-
fices qui lui avaient enlevé l'amour de Sommervieux,
elle commence de comprendre. Nouveau contraste : ici
encore, le lieu, l'ambiance de cet hôtel au luxe raffiné
est le symbole d'une coquetterie compliquée. Quand elle
est admise dans le boudoir où, voluptueusement couchée,
l'idole, « comme une statue antique », reçoit le culte rendu
à sa beauté par un admirateur assidu, en l'occurence
un jeune colonel de cavalerie, Augustine s'irrite contre
son passé : « Ah ! si j'avais été élevée comme cette sirène ! »
Oui, les choses dominent les êtres. Oubliant sa morgue,
abandonnant son égoïsme cruel, excitée par sa vanité,
la duchesse, fait profiter la petite épouse éplorée de son
expérience, en lui révélant les secrets qui assurent à la
femme la supériorité sur son mari. « Les choses extérieures

sont pour les sots la moitié de la vie ; et pour cela plus
d'un homme de talent se trouve un sot malgré tout son
génie ». « Science de bagatelles, d'ailleurs assez impor-
tantes » : mais totalement ignorée dans la vieille maison
d'un marchand drapier. Quelle ironie ! La duchesse est
« une âme forte » ; la fille du drapier, une âme faible.
Elles sont les produits d'un milieu différent. Augustine
n'était point faite « pour les puissantes étreintes du
génie ». Et la comparaison finale ramène le principe de
l'habitat ; l'humble et modeste fleur éclose dans la vallée
meurt quand elle est transplantée dans les hautes régions
où se forment les orages, où le soleil est brûlant.

Cette démonstration, nous pourrions la recommencer
à propos de vingt romans, avec *Eugénie Grandet* (1833),
Le Curé de Village (1837), où deux vieilles maisons figurent
et produisent le complexe psychophysiologique de deux
jeunes filles nées à leur ombre : Eugénie Grandet et
Véronique Sauviat. De même, dans les *Illusions perdues*
(1837), l'imprimerie de Séchard père par son apparence
délabrée, crasseuse, par ses meubles vermoulus, revêt
la physionomie du vieillard, qui est avare, et hostile
à son fils. La situation morale d'Augustine Guillaume
devant la Duchesse de Carigliano nous la retrouverons
identiquement reproduite dans *La Cousine Bette*. La très
vertueuse Baronne Hulot va demander à la grande cantatrice de l'Opéra, Josépha Mirah, de lui rendre son mari
qu'elle croit être emprisonné dans les rets de la célèbre
artiste, mais qu'un autre protecteur a déjà remplacé.
Ici encore le contraste des lieux produit le contraste des
âmes ; ici encore la splendeur du cadre tendue comme
un piège, « la puissance des séductions du vice » étonnent
les yeux émerveillés de la Baronne par un vrai luxe
d'ameublement. Bien que blasée, comme la Duchesse
de Carigliano, la cantatrice se laisse émouvoir aussi
devant la sublime et naïve grandeur de l'épouse éplorée ;
encore une fois, la candeur de la vertu désarme le cynisme,
et la pécheresse se fait la servante de la femme au cœur
pur.

Le symbolisme des choses matérielles, leur répercus-
sion dans l'activité des âmes, marquera très profondément les conceptions du romancier. Comme des ressorts
invisibles, ils meuvent les grands drames, au point que
les objets inanimés eux-mêmes, agissent, par leur fluide
magnétique, sur les destinées, tout comme les vivants.
On pressent le système des correspondances qu'il poussera
bientôt à l'extrême ; le caillou du fjord a une pensée,
un langage spirituel. Balzac étendra l'usage de ce procédé
à la composition de ses portraits. Un geste, une particularité vestimentaire, une cassure dans l'habit, une singularité dans la toilette, un trait de la physionomie,
de la coiffure, les cheveux plats, leurs nuances, la couleur
de la peau, sont des signalements, des documents qui
renseignent sur le moral des gens, sur leur condition et
leur zone sociale, avec autant d'exactitude que des paroles
et des enquêtes ; ils expriment des tendances. Il faut
y joindre certains mots, certaines expressions empruntées
au vocabulaire spécial qui notifient l'origine de ceux qui
les répètent fréquemment. Balzac s'en sert comme d'un
instrument non seulement pour la description, mais pour
le portrait, le dialogue, et même pour l'équilibre du plan.
Si son regard d'observateur s'aiguise, atteint plus sûrement le détail expressif, Balzac cède souvent à la tentation de surcharger et d'étendre ses descriptions.

Quand on a beaucoup fréquenté *La Comédie Humaine*,
on finit par être envoûté. Le choix du détail amène
immédiatement sa signification morale dans la pensée
du lecteur si bien que, son intelligence étant pour ainsi
dire énivrée de vapeurs étranges, il interprète les comportements de ses semblables, non plus d'après un jugement
original, mais d'après une sorte de code balzacien qui
s'est substitué à l'exercice naturel de la raison et de l'expérience. Entre-t-il dans un salon, ou chez un brocanteur ?
(*La Peau de Chagrin*). Il évoque aussitôt ce qu'on pourrait appeler les *loca communia* de la rhétorique balzacienne. Il en est de même pour les personnes dont il

découvre le prototype chez quelque créature de son auteur favori : un nom jaillit sur ses lèvres. La vrai balzacien devient par habitude un méticuleux observateur. C'est comme l'effet d'un choc en retour. Il examine attentivement un intérieur pour en déduire, le complexe moral de celui qui l'habite. Il recourt par un processus spontané, à sa règle de comparaison : la collection des prototypes créés par son dieu. Cet art fascinateur comporte-t-il pour ceux qui le subissent un dangereux mirage ? D'aucuns répondent qu'il les munit de perspicacité, d'expérience, et de prudence. La théorie des milieux, sans avoir fait faillite totale, n'a plus qu'une valeur relative. Des romanciers continuent de s'en servir ; mais il y a d'autres explications psychophysiologistes plus profondes, plus scientifiques, mieux adaptés à la souplesse infinie du dynamisme humain. Balzac en inventera de plus fantastiques.

DEUXIÈME PARTIE

COURANTS D'IDÉES

———

CHAPITRE I

LE SENS PHILOSOPHIQUE DU THÈME FANTASTIQUE

Au cours des années 1830-1831, la production de Balzac est abondante, tumultueuse : la rose des vents peut en être un symbole. Son activité s'élance vers les quatre points cardinaux ; elle se dirige entre temps vers les points collatéraux. Si vous imaginez de varier l'orientation de quelques degrés, soit à droite soit à gauche, ces genres divers pourraient, à cause de leur facture composite, être poussés sur l'une ou l'autre ligne, en se superposant à l'une ou l'autre des œuvres précédentes, passer des *Scènes de la Vie Privée* aux *Scènes de la Vie Militaire*, etc... Leur position dépend de l'impression qui prédomine dans l'esprit du lecteur.

Cette image m'est suggérée par l'expression, de « girouette littéraire », dont se sert le romancier dans un article du 29 mai 1830, *De la Mode en Littérature*, pour annoncer « la mode qui viendra l'année prochaine ». « Vous pourrez choisir entre la couleur et le drame, entre *le fantastique* et le réel ». Il faisait paraître *La Peau de Chagrin* en août 1831. Celle-ci avait une seconde

édition, accompagnée de douze contes, sous le titre
général, *Romans et Contes Philosophiques*. En 1832, la
série s'augmentait de *Nouveaux Contes Philosophiques*.

L'épithète au premier abord paraît prétentieuse. Il y a
du *philosophique* en toute chose pour l'homme qui pense,
même dans les histoires abracadabrantes, même dans les
bouffonneries ou les macabreries. *Fantastique* convenait
mieux : Balzac n'en voulait pas. Lorsqu'en février 1832
parurent les *Contes Bruns*, auxquels il avait collaboré
avec Philarète Chasles et Rabou, il déclarait dans un
article à *la Caricature*. « Tout d'abord, félicitons Messieurs des *Contes Bruns* de n'avoir point glissé dans quelque coin de leur titre le mot *fantastique*, programme
vulgaire d'un genre dans toute sa nouveauté, il est vrai,
mais qu'on a déjà trop usé par l'abus du nom seulement.
Et cependant, si jamais conditions d'un pareil titre ont
été remplies quelque part, certes c'est bien dans le
volume dont nous nous occupons : œil sans paupière,
corps sans bras, tête sans propriétaire, détails d'une
existence dans l'autre monde ; voilà, je crois, du genre
fantastique, ou je ne m'y connais pas ». Ce jugement
s'applique parfaitement aux œuvres antérieures ; *L'Elixir
de Longue Vie, Zéro, La Danse des Pierres, La Comédie
du Diable, L'Auberge Rouge, Jésus-Christ en Flandre,
La Peau de Chagrin. Les Contes fantastiques* d'Hoffmann,
traduits par Loëve Veimars (1829), avaient accru le
goût du public pour cette mode. Jules Janin la suivit
dans *L'Ane Mort et la Femme Guillotinée* (1829), *La Confession* (1830). Cette vogue réveillait chez Balzac une
tendance qui s'était manifestée dix ans plus tôt avec
ses premières œuvres : *Falthurne, Sténie, Le Centenaire,
La Dernière Fée, Argow-le-Pirate*. Leur trame est tissée
de phénomènes apparemment préternaturels, dus aux
forces inconnues de l'organisme humain, imbibé d'un
fluide vital, magnétique, qui projette son énergie à distance pour opérer son vouloir. Aux enchantements
d'Anne Radcliffe, de Maturin, le jeune romancier
substitue peu à peu des agents dotés d'une puissance

qu'il s'essaie à expliquer scientifiquement. Pourtant,
dans ses nouvelles œuvres dites *philosophiques*, il se servira d'une peau de chagrin. Ce talisman magique a le
privilège d'assurer à son possesseur la satisfaction de
tous ses désirs : il diminue d'autant à chaque plaisir
nouveau ; son anéantissement causera la mort du béné-
ficiaire. Il y aura l'élixir qui ranime les moribonds et
conserve leur vie. Il y aura le sabbat nocturne de la cathédrale où les voûtes, les piliers, le lutrin se livrent à la
danse pendant que les orgues jouent toutes seules. Il y
aura le pacte diabolique qui rajeunira le corps de Melmoth
pour prix de son âme. Il faut bien faire des concessions
au goût du moment. Cette peau implacable, on l'oublie
très vite. Ce pacte diabolique qui finit coté en Bourse
comme une valeur ordinaire, nous amuse par sa cocasse-
rie. Chacun des événements extraordinaires, nous les
prenons pour ce qu'ils sont : de froides allégories. N'est-ce
pas d'un très habile artiste que de leur substituer des
causes naturelles ? La peau de chagrin est le symbole de
la phtisie qui dévore Raphaël. Elle est un *deus ex machina*,
un véhicule magique qui nous promènera dans toutes les
sphères sociales pour y voir l'application des *principes
philosophiques*. Philarète Chasles dira que *La Peau de
Chagrin* et les *Contes* sont des ouvrages « où des observations réelles et pleines de finesse sont enfermées dans
un cercle de magie ». Peindre « le fantastique de son
époque » dans des tableaux d'une authentique véracité,
voilà le but du conteur. Traduire en langage clair la sentence inscrite sur le talisman, voilà celui du penseur.
L'évocation colorée d'une civilisation éperdue de jouissances effrénées dans le dévergondage des passions et
du luxe qui s'étalent avec impudence à côté des misères
sociales, voilà la féerie incroyable, mais authentique.
Il faut en tirer la leçon philosophique en montrant les
conséquences de ces excès. Selon Balzac, ces *Contes*
ne sont que des variations sur le thème largement traité
dans la symphonie qu'est *La Peau de Chagrin*. Elle est
par son fond une étude de mœurs, satirique par desti-

nation, fantastique par sa forme, philosophique dans
son but immédiat ; il consiste à rechercher les causes de
la désorganisation sociale.

Reconstituons le système philosophique balzacien.
D'où vient le mal du siècle, ce désespoir que les observateurs et les médecins constatent surtout dans la
jeunesse de 1830 ? Jamais la fureur de jouir n'a disposé
d'une pareille gamme de plaisirs, de sensations plus
raffinées, plus violentes, où l'esprit et le corps combinent
leurs ressources. Plus ils s'exaspèrent, plus ils désespèrent.
Tout excès se paye. Les sens s'émoussent à ce jeu terrible,
dans la dépense des forces nerveuses. Le vide de l'âme
se creuse d'autant plus que s'amplifie et se hausse l'appel
vers l'infini : on reste blasé. L'organisme ne peut se
réveiller que par une excitation recrue et désordonnée.
Il lui faut des voluptés infernales, et le cerveau conçoit,
invente des plaisirs factices ; il perfectionne ses instru-
ments de jouissance. N'est-ce pas le but où tendent les
progrès de la civilisation moderne ? « La débauche devient
un très grand art comme la poésie ». Le *pouvoir* et le
vouloir réunis : telle est la formule de cet égoïsme. Elle
renouvelle celle de Jean-Jacques : « L'homme qui pense
est un animal dépravé ». Balzac la répète : « Il faut considérer la pensée comme la cause la plus vive de la désorganisation de l'homme ». A mesure qu'il se civilise,
l'homme se suicide, car « la vie décroît en raison directe
de la puissance de ses désirs ». La sagesse épicurienne
pourrait nous procurer un antidote efficace dans cette
autre formule : *voir et savoir* ; découvrir par l'intelligence
« la substance même du fait, en jouir intuitivement sans
les souillures qu'apporte la possession physique. Celle-ci
une fois assouvie se résout en idées. Extrayez-les sans
fatiguer vos organes. Ces « voluptés idéales vous four-
niront même des thèmes d'exécution si vous êtes artiste ».
Belle jurisprudence que prônent toujours sans succès
aux jeunes gens les vieilles ganaches septuagénaires.
L'une d'elles, après avoir exposé ces théories à Raphaël,

héros du roman, leur donne un démenti comique. « Une heure d'amour » avec « une jeune goule » lui paraît plus substantielle que ces « idées fantômes » et ces songes creux : la pensée a tué le penseur. L'immobilité dans la vie, la modération, le renoncement, enseignés jadis par le père Balzac ne valent pas pour le fils. Tous les personnages de *La Peau de Chagrin*, Raphaël, Foedora, le vieil antiquaire, la courtisane Aquilina, celle-ci quitte à mourir jeune et pourrie à l'hôpital, préfèrent ne rien perdre de la béatitude préalable au martyre des passions : le trépas est un troc.

Nous examinerons la valeur scientifique de ces théories philosophiques. Nous n'en discuterons pas la portée morale revendiquée par son inventeur, mais décriée par H. de Latouche, Sainte-Beuve, Montalembert. Le principal mérite de ce « poème » — Balzac s'irritait qu'on l'appelât « un roman » — consiste dans la peinture des milieux les plus disparates où nous promène cette « féerie orientale ».

Cette « frénésie d'invention », cette satire implacable, « cette poésie des sens colorée » donne, par ses rutilances, la sensation des réalités les plus dramatiques, rumeurs des orgies, douceurs des fraîches idylles. C'est un tourbillon dont le mouvement s'accélère dans le clinquant et le cliquetis et les claquements du fouet ; le dompteur harcèle ses créatures, vrais fauves rugissants de plaisir, jamais rassasiés, jamais lassés dans leurs ivresses. L'enthousiasme presse l'artiste, le pousse dans la danse des couleurs, des rythmes, des images, des sons. Son style serpente, sa prose ondule, se plie aux changements de scènes avec une virtuosité inégalable. Il reste cependant « l'historien » véridique du XIXᵉ siècle tué par un poison : l'excès de civilisation.

D'après leur auteur, les *Contes Philosophiques* découlaient de l'axiome qui soutenait *La Peau de Chagrin*. L'intensité d'une idée ou d'un sentiment, joie ou douleur

morale, désorganise les forces vitales ; elle foudroie le
corps. En voici la preuve dans *Adieu*. Au passage de la
Bérésina, la Comtesse de Vandières est violemment sépa-
rée de son ami. Sombrant dans la folie, elle ne répète plus
qu'un mot depuis lors : « *Adieu* ». C'est la dernière parole
qu'elle avait fait entendre à Philippe de Sucy, l'officier
qu'elle chérissait. Celui-ci rentre de captivité : la douce
démente ne reconnaît pas celui qui n'a cessé de l'aimer.
Il tente un moyen désespéré pour lui rendre la raison.
Il reconstitue dans un décor aussi fidèle que possible
la scène atroce de leur séparation. Un choc mental se
produit chez la malheureuse : la pensée renaît soudain.
« La volonté humaine vient avec ses torrents électriques »
vivifier ce corps hébété. La femme fond en larmes en
reconnaissant son ami ; elle l'étreint. Mais tout à coup
« ses pleurs se séchèrent, elle se cadavérisa comme si la
foudre l'eût touchée ». Dans *Le Réquisitionnaire*, le même
effet est décrit chez une mère, tuée par la douleur en
retrouvant son fils. Dans *Un Drame au bord de la Mer*,
un pêcheur breton, tue son fils parce qu'il craint de le
voir souiller son nom : l'idée de l'honneur familial tue
celle de la paternité. Dans *L'Auberge Rouge*, un ami tue
son ami parce que l'idée du crime engendre le crime :
idée de l'auto-suggestion. Dans *El Verdugo*, un fils aîné
est condamné à tuer son père et ses frères pour avoir la
vie sauve. Il obéit à l'ordre du père qui veut que survivent
le nom et le titre nobiliaire de sa famille : l'idée de dynastie
anéantit celle de l'amour paternel. Dans *L'Elixir de
Longue Vie* un fils tue son père pour posséder plus tôt
son héritage : idée d'hérédité. *Malmoth réconcilié* (1835)
viendra se joindre au groupe des *Etudes philosophiques*. Un
homme vend son âme au démon pour vivre sans fin et
dans les plaisirs : idée de longévité : force diableries et
fantasmagories sévissent dans l'un et l'autre conte.

Restent *Le Chef-d'œuvre inconnu* (1831), *La Recherche
de l'Absolu* (1834). Le premier préludait à la tragédie
de Louis Lambert. C'est l'histoire d'un peintre du
XVII° siècle, Frenhofer, dont l'intense imagination à

la recherche de l'idéal tue la puissance artistique. Pendant
dix ans, il travaille secrètement à un portrait de femme
qu'il retouche sans cesse dans le délire de l'enthousiasme.
Il y a eu rupture d'équilibre entre sa vie intérieure et le
bon sens. Quand il montre sa toile à deux amis, ceux-ci
n'y voient qu'un chaos de couleur, un barbouillage
informe, des lignes confuses, mais lui contemple extasié
ce qu'il croit être une surhumaine beauté. Les autres
ne peuvent le détromper, et il meurt dans la nuit. Balthazar Claës, le chercheur de l'absolu, s'épuise dans un
drame semblable. Celui-ci, c'est la décomposition de
l'azote qu'il veut découvrir. C'est son idée fixe : désir
démesuré que Balzac ne croit pas inaccessible par la
chimie moderne. Cette passion, par les énormes dépenses
que nécessitent les expériences, ruine la famille de Claës.
Il meurt dans le désespoir croyant au dernier moment
découvrir réellement le secret tant convoité. Bien plus
tard, *Gambara* (1837) et *Massimilla Doni* (1839), deux
œuvres consacrées à la musique, s'adjoindront aux
Etudes Philosophiques ; la musique apparaît sous la
double forme de l'*exécution* et de la *composition*, soumises à la même épreuve que la pensée dans *Louis Lambert*, c'est-à-dire l'œuvre et l'exécution tuées par la trop
grande abondance du principe créateur. Massimilla, une
belle et malheureuse patricienne de Venise, est dédaignée
par son infâme mari, Cataneo, vieux duc débauché,
vicieux. Ce haut maniaque sacrifie tout, sa fortune
comprise, à un imaginaire plaisir, à la recherche d'un
effet musical : un accord parfait entre l'unisson de la
chanterelle et de la voix humaine. C'est le point sensible
du roman : la pensée tue l'art. De même chez le prince
Emilio Memmi, amant de Massimilla, l'amour idéal
anéantit la puissance virile.

Balzac imprime à ces aventures une allure qui tient
le lecteur hors d'haleine. Il connaît l'art des raccourcis ;
il complique à plaisir l'étrangeté de l'atmosphère. Une
poésie faite de coups, surprises, férocités dramatiques,

diableries, se déchaîne autour de figures burinées d'un trait, tantôt délicat, tantôt et plus volontiers énergique, coloriées comme des flamboiements de vitrail. Voilà surtout les mérites du conteur.

Balzac était plus poète que philosophe. Il se prenait très au sérieux néanmoins, quand il exposait ses théories philosophiques. La poésie servait de véhicule à sa pensée nourrie d'une « science cachée » dont « il portait la synthèse à lui-même ». Il comptait « en mettre au jour les formules physiologiques », nous confie le complaisant Félix Davin : nous les avons indiquées. Du texte de ces récits émergent déjà des réflexions savantes et des vues générales. Louis Lambert les creusera et nous les proposera rédigées en formules propres à la méditation. Séraphîta, parvenue au terme de son évolution angélique, nous fera profiter de ses lumières célestes en nous offrant une construction de philosophie pseudo-swedenborgienne. Son enseignement exposé sous formes de larges thèses, contiendra une critique serrée des méthodes scientifiques et psychologiques quand elles veulent prouver l'existence de Dieu et définir les relations de l'Univers avec l'Eternel. Plus tard, Balzac lui-même composera à notre usage un *Précis sur le magnétisme*, dans *Ursule Mirouët* (1841), et un *Traité des Sciences Occultes*, dans *Le Cousin Pons* (1847), pour mettre à notre portée les arguments de ses personnages, expliquer leurs comportements. Il arrivera très souvent dans d'autres romans, qu'il suggère un motif du même ordre et dans la même intention. Il y restera fidèle jusqu'à la fin.

On reconnaît dans le sien, le système physiologique construit par Cabanis dans son *Traité du physique et du moral de l'homme*, perfectionné par l'observation de ses disciples Broussais, Bichat, Dupuytren. Ces derniers, souvent cités dans *La Comédie Humaine*, y auront comme confrères les deux célèbres médecins Desplein et Bianchon. La documentation avait été complétée. Balzac affirme avoir pu « comparer, analyser, résumer les œuvres que les philosophes et les médecins de l'antiquité, du moyen-âge et des deux siècles précédents avaient laissées sur le cerveau de l'homme ». Il aurait alimenté son esprit des œuvres antiques : Cardan, Apollonius de Thyanes, Porphyre, Paracelse, Plotin. Il y collectionne des faits. Il crée ainsi le climat le plus étrange, compliqué de mystères, double vue, télépathie, traversé de forces invisibles qu'on devine à leurs conséquences. Tout cela rend admissible pour un moment les lois qu'on nous dit régir, à l'insu de ceux qui en sont les auteurs et les récepteurs, les indéfinissables émanations, explosions, projections de la pensée ; et par conséquent, les démarches, les gestes, les intuitions des acteurs. « L'enchaînement des causes » se poursuit dans l'atmosphère du monde spirituel, tout aussi bien que dans le monde physique ; dans l'un et l'autre opèrent les idées qui sont des « créations réelles et agissantes ». Dans le vocabulaire balzacien, pensée égale volonté. La pensée désigne tous les phénomènes de la vie intérieure, intellectifs, affectifs, volitifs. Jusqu'à quel point le conceptualisme se différencie-t-il du volontarisme ? Tout porte à croire que la créature balzacienne ne peut concevoir quelque chose sans qu'immédiatement, concomitamment, elle le veuille et cherche à le réaliser. Toute idée tend à se matérialiser en action. Elle n'est qu'une transmutation de la substance éthérée qui nourrit notre cerveau, sorte de « matras » d'où s'échappe un fluide magnétique. Les conséquences morales qui découlent de cette observation mènent au déterminisme. Balzac rappelle avec insistance que le *principe de causalité* demeure le ferme appui de ses inductions. Que la chaîne des causes soit aussi facile à établir qu'il le croit, quand il s'agit de reconstituer une série d'actes humains, c'est une présomptueuse illusion. Il lui suffisait à lui de « répandre sur ces déterminations spontanées une sorte de lumière psychologique en ... expliquant les raisons mystérieusement conçues qui les ont nécessitées ». N'était-il pas l'un de ces observateurs de la nature humaine, « capable de mesurer la force des liens, des nœuds, des attaches qui soudent secrètement un fait à un autre dans l'ordre moral ? » N'oublions pas qu'il invoque également l'autorité des plus célèbres magnétiseurs contemporains, le Dr Koreff, le Dr Chaplain, le baron Dupotet, Balthazar et le Prince abbé de Hohenlohe ; il se couvre de leurs expériences et... des siennes. Ne se croit-il pas lui-même doué d'une puissance occulte et magnétique qui lui permet de contrôler dans sa personne la véracité des théories ? Il se croit un *clairvoyant*.

Enfin évitons une méprise sur le sens du mot *philosophie*. Balzac nous déclare dans son *Traité des Sciences Occultes* que « les différentes *philosophies* sont toutes la même chose ». La vraie, la seule qui soit « professable », à son avis, c'est « l'anthropologie ». Il appelle de tous ses vœux la création de cette chaire qui donnera « l'enseignement de la philosophie occulte ». Nul doute qu'elle se confonde dans son esprit avec le Magisme, « la Science intime des choses », « la science qui révèle la marche des forces » répandues dans tous les règnes de l'Univers. L'Anthropologie serait comme une préparation, une première initiation qui permettrait à quelques-uns d'atteindre au Magisme ; c'est « la sphère des causes où vivent les âmes privilégiées », « les penseurs gigantesques ». Il se rangeait dans cette catégorie, de même qu'il se croyait doué, comme Napoléon, du don de *spécialité* : c'est la connaissance intuitive du fait dans son essence absolue.

Pour être complet dans l'exposé de ces données philosophiques, il nous faut indiquer encore les rapports que Balzac établissait entre elles et les observations des naturalistes, Leibniz, Charles Bonnet, Geoffroy Saint-Hilaire, Cuvier, Lavoisier, etc., par l'idée d'*unité de composition* dans les êtres. L'*homo duplex* de Buffon fera long feu dans le système. Cette documentation scientifique, arborée avec quelque naïveté, est la partie caduque de son œuvre. Les faits sur lesquels il vérifie ses lois physiologiques ne tiennent que par un fil très ténu aux théories qu'il invente. Leur connexité supposée l'autorise à se lancer dans l'analyse des causes, et surtout dans la description des effets. La Science apporte à Balzac une matière d'art à exploiter, tout est là.

Très souvent l'occasion s'est offerte à nous de faire des allusions aux systèmes de Lavater et de Gall : Balzac les adopta dès le début de sa carrière. La destinée des créatures balzaciennes est préfigurée et même commandée par des signes inscrits sur la personne et particulièrement dans les lignes, le relief, la forme sculpturale du visage, dont la ressemblance animale est adéquate au caractère. Le milieu physique et social qui réagit sur l'individu et modifie sa physionomie, crée la différence spécifique : d'où la science physiognomonique. Balzac applique avec conviction le principe fondamental de Lavater. « Tout en nous a une cause interne ». Il n'a pas utilisé méthodiquement toutes les observations de son maître. Il en garde une indication générale, et se charge lui-même d'établir des corrélations empiriques ou fantaisistes entre les penchants et certains traits du visage, qui sont souvent les siens... Il en va de même pour la craniognomonie inventée par Gall selon la classification des protubérances de la boîte crânienne. A quoi bon citer un titre de roman, un nom de personnage ? Il n'est que d'ouvrir au hasard *La Comédie Humaine* pour rencontrer cette démonstration. Au début de *La Recherche de l'Absolu*, pas moins de quatre pages sont nécessaires pour décrire en copieux et minutieux détails la personne de Balthazar Claës : chacune de ces particularités physiques annonce les événements de sa vie. « Sa majestueuse démarche est celle d'un penseur qui entraîne des mondes avec lui ». Les protubérances de son front, sa chevelure, ses yeux, sa peau, son teint, ses poses, ses habits, la forme chevaline de sa tête indiquent à l'observateur les sentiments, la passion, les mœurs, les qualités, les vices de cette organisation humaine. Il faudrait encore parler des noms que Balzac choisissait avec circonspection, l'appellation de ses personnages :

Gobseck, Z. Marcas. Ces deux syllabes portent la « sombre signifiance » de leur destin. « Notre globe est plein, tout s'y tient. Peut-être reviendrons-nous quelque jour aux Sciences Occultes ». Nous renvoyons à la conclusion de M. Pierre Abraham, dans son étude approfondie sur *Balzac et la Figure humaine.* « Ce n'est pas en s'aidant de faits observés, c'est en mots-images qu'il pense lorsqu'il conçoit et fabrique à son insu la vaste morphologie de sa *Comédie.* La phrénologie, la physionomie, il en a utilisé, non pas les résultats contestables, mais l'idée initiale féconde ». Elle lui a permis d'établir des correspondances du physique au moral. C'étaient « des associations d'idées mises en mouvement, chez l'infatigable et puissant ouvrier des lettres, par les mots de la langue française, par leur assonance, par les images qu'ils enferment ». Il pose les signes et il les interprète d'après un code qui lui est propre. Avec des symboles, des métaphores, des mots-images, l'artiste décrète un destin.

Mais où se logerait en tout cela la responsabilité morale ? Il n'y a pas de protubérance pour elle. L'homme est vaincu d'avance dans la lutte contre les passions. « Pauvres natures nerveuses, que la richesse de votre organisation livre sans défense à je ne sais quel fatal génie, où sont vos pairs et vos juges ? » s'écrie Félix de Vandenesse. C'est par cette loi déterministe que Balzac, grand physiologue et grand pénitencier, délie de tous péchés ses créatures.

Que nous chaut cette chamarrure scientifique ? Son triomphe d'artiste consiste à effacer de notre entendement l'artifice de la loi psychophysiologique. Le jeu scénique nous éblouit. Transportés dans les régions illusoires et variables des décors, nous n'en voyons plus les portants. Pipés par tant de belles images, frappés ou charmés par des mots dont le son s'accouple au symbole prévu et le renforce, nous ne nous soucions plus d'avoir l'esprit critique, d'accorder un assentiment réfléchi à ses postulats et à ses axiomes, pas plus que lui. Balzac ne se préoccupe d'être littérairement logique.

Que viendrait faire ici la rigueur du raisonnement et des inductions qui le soutiennent ? C'est en vertu d'un principe transcendant qu'il nous subjugue à sa certitude apodictique. Pourquoi, nous évertuer à contrôler, de nos petits moyens terrestres, un procédé descendu tout droit de l'empyrée ? « La puissance de vision qui fait le poète, et la puissance de déduction qui fait le savant, sont fondées sur des affinités invisibles, intangibles, impondérables que le vulgaire range dans la classe des phénomènes moraux, mais qui sont des effets physiques. Le prophète voit et déduit ». Par cette parole, Balzac s'égalait en génie à Balthazar Claës. Son organisme captait des fluides dans l'éther, y buvait des idées : les unes et les autres, rassemblées dans le « matras » du cerveau, recomposaient la substance des choses pour des évocations réelles. Ne lui parlez pas d'hallucinations. Ce qu'il raconte des objets et des êtres, des circonstances physiques, il en a une perception actuelle par les préfigurations physiologiques, par la présence. Plus de passé, plus d'avenir pour un artiste de sa trempe. Tout lui devient immédiat. Il est mage, il est prophète, il voit, il déduit, il émet la loi des événements, les lois de la métapsychie, ce qu'il appelle la mystique.

CHAPITRE II

LE SENS OCCULTISTE
DU MYSTICISME BALZACIEN

Dans l'*Introduction aux Romans et Contes Philosophiques* (1834), Balzac rassemblait dans sa pensée la
première partie de *L'Enfant maudit, Les Proscrits, Louis
Lambert, Jésus-Christ en Flandre* et *Séraphîta*. Il avouait
avoir eu l'intention de « faire courir — à travers son
œuvre — un radieux rayon de foi, une mélodieuse
métempsychose chrétienne qui commençait dans les
douleurs terrestres et aboutissait au ciel ». Il se la figurait
déjà, cette œuvre, comme une cathédrale, « sa cathédrale ». Il voulait déjà l'éclairer de « lueurs divines »
afin qu'y « rayonnent les beautés pures de l'autel ».
Ces contes, parus de 1831 à 1835, seront, les uns complé-
tés, d'autres remaniés, surtout *Louis Lambert*. Ce dernier
très augmenté, composera en 1835, avec *Les Proscrits*
et *Séraphîta*, un seul ouvrage, intitulé *Le Livre Mystique*.
C'est donc répondre à un dessein de l'auteur, que de
conjoindre toutes ces œuvres, pour les envisager sous un
aspect qui permet d'en dégager l'idée générale, et les
théories du mysticisme balzacien. Rattachées antérieu-
rement aux *Romans et Contes Philosophiques*, toutes
ces œuvres devaient être agrégées définitivement aux
Etudes Philosophiques : la désignation *mystique* disparaît,
l'élément subsiste. Bien que ces deux genres plongent

leurs racines dans le même terrain documentaire, les
Œuvres Mystiques gardent leurs caractères distincts.
Elles manifestent non seulement un effort constructif
de l'esprit, mais, plus encore, une intime conviction et
une volonté de prosélytisme, l'une et l'autre génératrices
de poésie.

Pour en suivre le développement, il faut rétablir
leur synchronisme ; confronter les données authentifiées
par des documents extrinsèques, avec les événements,
tels qu'ils nous sont présentés dans l'autobiographie
romancée de *Louis Lambert*. Nous ne retiendrons que les
points indispensables à cette démonstration. Une première comparaison de dates l'éclaire. Balzac entre au
collège de Vendôme en 1807, âgé de huit ans ; il en sort
en 1813, âgé de quatorze ans, n'ayant même pas achevé
sa troisième : ce n'est qu'un enfant. Louis Lambert y
entre en 1811, âgé de quatorze ans, après avoir commencé
ses études chez son oncle, le Curé de Mer ; il en sort
« au milieu de l'année 1815, âgé de dix-huit ans, après
avoir achevé sa philosophie ». Il est donc pourvu d'une
science et d'une culture qui rendent, à peu près vraisemblable, « la précoce activité de son intelligence », pour
observer et analyser les phénomènes extraordinaires qui
se passent en sa personne, pour en tirer des inductions et
formuler les lois. Notons que la plupart de ces expériences
se situent après 1813. Prenons pour argent comptant
l'appel de Balzac au témoignage de Barchou de Penhoën,
son ancien camarade et voisin de dortoir : « Il était occupé
déjà, comme je l'étais moi-même, de questions métaphysiques : il déraisonnait souvent avec moi sur Dieu,
sur nous et sur la nature ». Retenons, comme indice
d'inquiétude religieuse, l'objection qu'il présente à l'au-
mônier du collège quelques mois avant sa première
communion : « Alors si tout vient de Dieu, lui dis-je,
comment peut-il y avoir du mal en ce monde ? » ; et,
comme preuves d'exaltation mystique, sa ferveur de
premier communiant, la curiosité qui l'entraîne en des
lectures clandestines, parmi les Pères de l'Eglise, et les

Actes des Martyrs. Remarquons que cette singularité
procède de l'imagination et de l'intelligence : l'enfant
voudrait renouveler, en lui, la constance des persécutés
durant leurs tourments ; il soupçonne que ce courage
dépend du tempérament personnel. Il voudrait découvrir
le moyen d'être héroïque. Il accomplit, en songe, tant
d'actes sublimes ! Ce qui pour lui est une réalisation
anticipée. Il est persuadé d'être l'un de ces *Enfants
Célèbres*, Pic de la Mirandole, Pascal, etc., dont il relit
avidement les exploits. Ces éléments nous paraissent
seuls vérifiables chez le collégien, en fait de mysticisme.

Tout cela nous paraît insuffisant, mais non pas à Félix
Davin, pour « attester combien fut précoce chez M. de
Balzac le germe du système physiologique autour duquel
voltige sa pensée », dans ses premiers essais. Lorsqu'en
1813, au sortir du collège, Honoré rejoignit sa famille,
alors vraiment commencèrent ses contacts avec les
œuvres de Swedenborg, de Saint-Martin surtout. Nous
savons déjà tout ce que ses curiosités nouvelles doivent
à la bibliothèque maternelle. Nous connaissons ses
premières ébauches teintées d'occultisme : *Falthurne*
(1816), « esquisse informe » de ses rêves illuministes,
Jane la Pâle (1822), le *Traité de la Prière* (1824) : l'influence de *L'Homme de Désir* y est sensible. Ce *Traité*
paraît être le premier chapitre d'une *Histoire Primitive
de l'Eglise* que Louis Lambert voulait écrire, en expliquant par des causes physiologiques la constance des
Martyrs. Les lettres que Louis Lambert adresse à son
oncle l'abbé Lefebvre durant ses études supérieures à
Paris, pendant trois ans, de 1817 à 1820, expriment
exactement les idées de Balzac, fréquentant à la même
époque, des cours en Sorbonne, au Collège de France,
au Museum, à l'Ecole de Droit : nous en avons des
preuves dans les *Notes Philosophiques* (1818). Ce *Traité
de la Prière* trouvera son aboutissement et son développement total dans le chapitre VIII de *Séraphîta*,
intitulé *Le Chemin pour aller à Dieu* : Balzac le désigne
à nouveau comme un *Traité de la Prière*. Il nous a raconté,

dans *Louis Lambert*, son histoire intérieure, le développement de ses idées mystiques, non seulement pendant
ses études à Vendôme, mais jusqu'en 1832, quand
paraît la première édition de *Louis Lambert* ; jusqu'en
1833, lorsqu'en paraît une seconde édition très augmen-
tée, intitulée *Histoire intellectuelle de Louis Lambert* ;
jusqu'en 1835, quand ce récit, remanié et grossi des
Lettres de Louis Lambert, est agrégé au *Livre Mystique* ;
jusqu'en 1846, date de l'édition définitive précédées de
nombreuses autres constamment *remaniées*. La bibliographie immense dont l'auteur se réclame pour *Louis
Lambert* et *Séraphîta* s'est accrue de toute l'information
poursuivie parmi les mystographes, pendant toute sa
vie, sur un sujet qui lui tenait au cœur.

Le problème de la destinée humaine ne cessa de
préoccuper son intelligence ; il s'intègre à ses activités
d'homme et d'écrivain. La *Lettre à Charles Nodier sur
son article intitulé : De la palingénésie humaine et de la
résurrection*, (1832), atteste une « curiosité philosophique »,
et nullement l'angoisse pascalienne. Ses créatures, Etienne
d'Hérouville l'enfant maudit, Dante le proscrit et Godefroid son jeune compagnon, Louis Lambert, Séraphîta
ont la nostalgie du ciel. Ils le considèrent non pas tant
comme un lieu de bonheur que comme la région de la
définitive Clarté. Ici-bas tous les sanctuaires (toutes les
religions) sont entourés de *nuées*, d'obscurités métaphysiques. Chacun de ces personnages répète la parole
de Dante : « moi qui suis pour moi-même un mystère ».
Ils veulent percer l'énigme, « par l'interprétation du
Verbe divin, écrit sur toute chose de ce monde ». Ils veulent
voir la vérité, et leur aspiration est si violente que tous
désirent la mort pour se rapprocher d'elle ; Godefroid
essaie de se la donner pour arriver plus tôt dans la région
de la Clarté ; Louis Lambert songe un instant à se mutiler.

Avant de tenter une interprétation toujours décevante,
toujours mouvante, il importe d'estimer à sa vraie valeur
la sincérité de Balzac. Voulant s'expliquer à lui-même
sa destinée, il s'est servi de Louis Lambert comme d'un

truchement afin de répandre de par le monde des croyances qu'il croyait utiles aux hommes. N'oublions pas qu'il mettait *Louis Lambert* et *Séraphîta* au-dessus de tous ses autres ouvrages : « On peut faire *Goriot* tous les jours ; on ne fait *Séraphîta* qu'une fois dans sa vie », confiait-il à Mme Hanska. Et encore : « Ce sont des livres *(Louis Lambert, Séraphîta)* que je fais pour moi et quelques-uns. » Nous verrons bientôt se réaliser la suite de sa déclaration. « Quand il faut faire un livre pour tout le monde je sais bien à quelles idées il faut le demander et celles qu'il faut exprimer ». « Pour moi et quelques-uns » : cette formule réticente est langage d'initié, et l'on raconte de divers côtés que l'initiation martiniste avait été conférée à Balzac. Un paragraphe du *Traité de la Prière* (1824) permet de le croire. M. Van Rijnberk, dans son étude sur *Martinès de Pasqually*, établit ainsi la filiation d'après des informations récentes. Claude de Saint-Martin avait initié l'abbé de la Noüe, qui initia Antoine-Louis-Marie Hennequin, le célèbre avocat, lequel initia Hyacinthe de Latouche. Ce dernier initia son ami Balzac, et lui transmit vers 1825, la doctrine et les pouvoirs occultes dont l'auteur de *La Comédie Humaine* se vantait si volontiers.

La « philosophie théurgique » dont se réclame Balzac, fait remonter ses titres d'origine jusqu'au christianisme primitif, johannique et, par ce chaînon, jusqu'aux mystagogies orientales les plus reculées. Jésus était l'un des grands initiés : des traditions mosaïques, qui découlaient elles-mêmes des traditions égyptiennes, il tenait les secrets de sa puissance thaumaturgique qu'il avait transmise aux apôtres et surtout à Jean : « L'Apocalypse est une extase écrite ». Cette doctrine, qui comprenait « l'ensemble des révélations et des mystères depuis le commencement du monde était publiquement enseignée au XIIe siècle à l'Université de Paris. Elle s'était « nébuleu-

sement » transmise jusqu'à Mme Guyon, Fénelon, pour
parvenir enfin au prophète suédois, Swedenborg, et à son
parfait disciple Saint-Martin, « le Philosophe inconnu ».
C'est *l'Eglise intérieure* constamment persécutée par
l'Eglise de Rome. Alors que celle-ci ne cesse d'encombrer
la religion chrétienne d'observances extérieures, Swedenborg la ramène à sa simplicité primitive : il réduit au
strict minimum les pratiques du culte et proscrit l'intermédiaire du sacerdoce. Balzac, en 1835, ne doutait
pas que ce dernier l'emporterait : « Le doute travaille
en ce moment la France. Après avoir perdu le gouvernement politique du monde, le catholicisme en perd le
gouvernement moral. Rome catholique mettra néanmoins
tout autant de temps à tomber qu'en a mis Rome pan-
théiste. Quelle forme revêtira le sentiment religieux ?
Quelle en sera l'expression nouvelle ? La réponse est un
secret de l'avenir » *(Préface au Livre Mystique)*.

Louis Lambert était un effort scientifique pour réduire
toutes les formes et toutes les forces de la nature à l'unité.
Séraphîta le parachève pour faire aboutir par un système ésotérique la réintégration de l'esprit dans l'unité.
Le seul principe sur lequel l'un et l'autre ouvrage s'appuie
est l'interdépendance complète du physique et du moral.
Les observations des physiologistes, de plus en plus pré-
cises et multipliées, le démontrent chaque jour ; elles
préparent à la science des découvertes sensationnelles.
Donner une base aux phénomènes extraordinaires, aux
dons soi-disant préternaturels dont se prévalent les illuministes, tel est l'effort de Balzac. A l'occultisme, il veut
substituer le scientisme afin d'expliquer d'abord ce qui
paraît un privilège merveilleux aux yeux. du vulgaire,
puis d'en généraliser l'exercice chez les gens suffisamment
doués : la théorie est clairement expliquée dans la *Lettre
à Charles Nodier sur son article intitulé* : *De la Palingénésie
humaine et de la Résurrection* (1832). C'est un précis de
ces croyances et de ces tendances mystico-scientifiques.
L'homme est doué de « facultés perfectibles », d'autres
encore qui sont inconnues, innommées, inobservées ou

bien oubliées, perdues, atrophiées. Par elles, s'explique
la constance des premiers martyrs chrétiens au milieu
de tourments affreux : la Primitive Eglise fut « la grande
ère de la pensée ». L'idée foi abolissait en eux l'idée
souffrance. L'*Homo Duplex* de Buffon est ici l'argument
fondamental : l'homme intérieur et l'homme extérieur
sont en antagonisme perpétuel. Le fluide nerveux qui
se dégage du cerveau, et qu'on appelle vulgairement *la
volonté*, est une force dont le mécanisme n'est pas encore
connu, ni le potentiel évalué, ni l'utilisation appliquée.
L'onéirocritie, la télépathie, la claire vue, le somnambulisme, la bilocation, les extases, les apparitions, les
possessions diaboliques, les guérisons sont des phénomènes produits par une projection de fluide. C'est ainsi
que s'expliquent les miracles par attouchement ou à
distance, opérés par Jésus et par ses apôtres. En déterminant les rapports qualitatifs et quantitatifs de la pensée
avec la volonté, les physiologues arriveront à des résultats
de plus en plus surprenants. Ils trouveront les moyens
d'explorer la zone subtile de la pensée et du sentiment.
Les hommes exercés en viendront à communiquer d'esprit à esprit ; à voir, à lire dans les cerveaux sans recourir
aux sens charnels.

En quoi ce perfectionnement organique favorise-t-il
les relations de l'homme avec la Divinité ? C'est le but
que vise Balzac : « Il s'agit de donner des ailes pour
pénétrer dans le sanctuaire où Dieu se cache à nos
regards » *(Les Proscrits)*. Le temps est venu « d'établir
les religions sur *l'être intérieur* placé en nous par le
Tout-Puissant ». C'est un instinct, comparable à celui
des animaux, mais supérieur par son objet. Il désigne
ce commencement d'intuition qui simplifie la connaissance et met l'essence individuelle en contact avec les
échos du Verbe : pensée ou conscience que Dieu a de
lui-même. « La Parole meut les mondes ». « Croire, c'est

sentir Dieu, il faut sentir Dieu ». Cette certitude expérimentale, immanente, prévaut sur toutes les autres
preuves présentées par les philosophes. C'est la foi théosophique. Par elle, chacune des créatures, la création
tout entière communique directement avec les sphères
supérieures. « Tout parle et tout écoute ici-bas » ; dans
tous les règnes, dans toutes les sphères ; tout participe à
cette correspondance élémentaire avec le divin. Le
caillou, le crapaud, la fleur, la pensée qui est une fleur
spirituelle, les nuages communient par le Verbe, dans
une sorte de fraternité. Ils évoluent sans arrêt par des
existers différents vers l'Unité supra-terrestre. L'humanité
personnifiée dans l'androgyne Séraphîtus-Séraphîta, est
parvenue au stade de l'angélisation, selon la doctrine
de Swedenborg. Elle accomplit par une dématériali-
sation progressive, ses dernières métempsychoses spirituelles qui la préparent à être réintégrée dans le Principe Universel. A mesure qu'elle avance vers ce triomphe,
au milieu des épreuves et du détachement terrestres, sa
nature s'allège, pour ainsi dire ; elle devient capable
d'accomplir tous les actes préternaturels que nous avons
énumérés. Cette ascension s'effectue par la vertu d'une
énergie naturelle à chacun. La pensée monte de sphère
en sphère intelligentielle et finit par atteindre le terme
de sa destinée. Là, l'idée première d'où découlent toutes
les autres sera connue dans son essence infinie. L'échelle
de Jacob, sa lutte avec l'ange sont les symboles des
efforts volontaires. Le surnaturalisme balzacien se résume
dans l'un des axiomes émis par Louis Lambert : « *En
unissant son corps à l'action élémentaire, l'homme peut
arriver à la lumière par son* INTÉRIEUR ». Le jeune illu-
miné s'en tient déjà à une critique négative des vérités
chrétiennes ; il émet en d'abondantes tautologies des
hypothèses sur la matérialité de la pensée et son énergie
magnétique.

Séraphîta avance plus avant dans le domaine de la
connaissance. Dans le chapitre intitulé *les Nuées du
Sanctuaire*, elle concède à Becker, le pasteur sceptique,

l'impuissance de la raison à percer l'énigme du monde, à résoudre le problème de la destinée. Elle examine l'existence d'un Dieu que semble postuler l'idée d'infini dont l'homme est assailli, poursuivi. Avec une verve presque furieuse, elle accumule les objections, les contradictions que soulèvent les thèses traditionnelles, soutenues, pour et contre, par les matérialistes et les spiritualistes. Croyant avoir anéanti leurs prétentions, elle argumente en s'appuyant sur sa certitude expérimentale du divin : Je crois en Dieu parce que j'ai senti Dieu. Ah ! dérision, toute science, quel qu'en soit l'objet ne commence-t-elle pas par un acte de foi à un principe ? Telle la physique qui reconnaît une force distincte des corps auxquels elle communique le mouvement. Mais elle ne sait rien, absolument rien, de la nature de ce mouvement ; elle ne juge que ses effets. Comment notre intelligence trouverait-elle par ces méthodes, un instrument de connaissance quand il s'agit de Dieu, de son existence et de son essence ? La raison suffisante de la croyance est toute subjective ; quant à son objet, il n'est pas démontrable. Il s'enrichit d'une amplitude et d'approfondissements proportionnels à la ferveur de chaque croyant.

Le chapitre VI de *Séraphîta*, intitulé *le Chemin pour aller à Dieu*, nous indique le seul moyen que nous avons pour effectuer cette *angélisation* : c'est la Prière. Balzac nous expose longuement la plénitude, la magnificence des révélations qu'il croyait avoir reçues pour récompense de sa foi théosophique. « Qui vous fera comprendre, s'écriait-il, la grandeur, les majestés, la force de la Prière ? » Ce terme désignait l'état transcendant d'une âme ravie en contemplation : elle goûte avec « d'éclatantes certitudes », les jouissances les plus exquises, « les plus suaves », « les délices de l'ivresse divine ». Nous savons bien que ces désirs enflammés, ces aspirations, cette vision de Dieu, l'auteur les exprime par des mots et des phrases empruntées textuellement à *L'Homme de Désir* de son cher Saint-Martin. Par-là même, nous doutons que ses transports extatiques aient atteint la zone *extra*-littéraire. Il n'empêche que grâce à lui, certains esprits, dans leur quête de Dieu, aboutirent à sa possession. Tel fut le peintre hollandais Verkade, du groupe des « Nabis » : la lecture de *Séraphîta le transporta dans un monde surnaturel* et l'engagea sur le chemin de la piété, qui le conduisit jusqu'à l'abbaye de Beuron où il devint profès. Toutes les religions sont « poétiques » et mènent au terme. D'après les expressions même de Saint-Martin, les hautes spéculations de l'illuminisme mystique versaient dans l'âme « la lumière de l'amour céleste et l'huile de la joie intérieure ». Et Balzac définissait ainsi les effets de cette religion : « Cette doctrine donne la clef des mondes divins, explique l'existence par des transformations où l'homme s'achemine à de sublimes destinées, libère le devoir de sa dégradation légale, applique aux peines de la vie la douceur inaltérable du quaker, et ordonne le mépris de la souffrance en inspirant je ne sais quoi de maternel pour l'ange que nous portons au ciel. C'est le stoïcisme ayant un avenir. La prière active et l'amour pur sont les éléments de cette foi qui sort du catholicisme de l'Eglise Romaine pour rentrer dans le christianisme de l'Eglise primitive » *(Le Lys dans la Vallée)*. Rien n'interdit néanmoins de rester dans le catholicisme et d'en pratiquer les observances, comme Henriette de Mortsauf. Nous verrons l'importance de cette latitude.

Il est nécessaire de connaître l'origine et la nature des idées, telles que Balzac les expose dans *Louis Lambert*, si nous voulons comprendre leur rôle poétique, et la portée philosophique du roman. Ces théories sont fondées sur la matérialité de la Pensée et de la Volonté, sur leur identité. Les idées sont des émanations, de « merveilleuses modifications de la substance humaine », de la « substance électrique » et « toute physique », de

quoi se compose l'être actionnel, c'est-à-dire « notre être
intérieur ». Celui-ci, « par un mouvement tout contrac-
tile », amasse cette substance ; puis, « par un autre mouvement », la projette au dehors, ou même le confie « à des
objets matériels ». Ces abondantes tautologies laissent
l'idée « dans les limbes inconnus des organes où elle
prend naissance ». Ce débordement d'images ne nous
donne pas la moindre précision sur la nature du « roi des
fluides ». « A quoi, dit Balzac, — si ce n'est à lui — peut-on
attribuer la magie par laquelle la Volonté s'intronise
si majestueusement dans les regards pour foudroyer
les obstacles au commandement du génie ? » Le romancier
se dépeint assailli par les idées. Fermait-il les yeux ?
Elles accouraient, s'offraient à lui mystérieuses ou toutes
claires. Les ouvrait-il ? Elles voltigeaient par essaims,
dans l'air, autour de lui. « L'infiniment petit détail »,
vérifiait l'exactitude de l'idée par l'interprétation immédiate qu'il en trouvait. Cet exercice se répétait à une
cadence vertigineuse. Nous savons qu'il poussait l'observation, et partant la description, jusqu'aux nuances
les plus fugitives, jusqu'au grain le plus ténu, jusqu'à
l'imperceptible ciron. Il poursuit l'idée, il la force dans
son indice le plus léger. Tout lui devient idée, parce que
pour lui, comprendre, c'est voir d'avance, par « l'aperçu
des causes » ; peindre, c'est penser. L'idée anime l'objet
matériel, et celui-ci provoque celle-là : il en est comme
la vibration dans l'espace. Ces idées ont une vie propre,
par elles-mêmes et par leurs effets, réalisés dans la vision
intérieure. Elles sont en nous un système complet, semblable à l'un des règnes de la nature, une sorte de floraison... « Ce sont comme des myriades d'étoiles. Elles vivent
aussi en dehors. Elles nous assaillent, nous obsèdent,
agissant tantôt isolément, tantôt par groupes » ; *Les
Aventures administratives d'une idée heureuse* (1834),
sont la démonstration historique, conduite avec une
verve endiablée et drolatique, de cette doctrine psychophysiologique. Le spectacle nous est donné d'une idée
s'élevant, grandissant, dévorant, croquant hommes,

enfants, espérances, fortunes, s'incarnant parfois dans un homme, dans une femme, traversant les siècles.

Pour le poète, visionnaire par état, les idées sont des parfums, des couleurs, des sons, des formes. C'est un artiste : dans le moment qu'il pense, son imagination lâche de fougueux génies à l'assaut de l'idée. Ils s'emparent d'elle, la taillent comme un bloc de cristal, comme une pierre précieuse dont chaque facette, par un angle de vision différente, révèle un reflet plus éclatant, une nuance plus secrète du coloris, une eau plus profonde. Ici, le romanesque reprend tous ses droits. Si les sentiments qu'on nous dévoile dans un personnage ne sont pas inattendus, l'idée symbolique qui les traduisent le sont tout à fait. Prenons l'exemple de l'abbé Birotteau : « Sa concupiscence mobilière » lui vaut d'être considéré comme un jeune premier contemplant avec admiration la femme qu'il aimera » ; comme un amant faisant le plus tendre adieu à sa première maîtresse, ou comme un vieillard, à ses derniers arbres plantés.

Lorsque Mlle Gamard, passe d'une vengeance souterraine à des hostilités ouvertes contre l'abbé Birotteau, celui-ci « ne pouvait plus douter qu'il ne vécût sous l'empire d'une haine dont l'œil était toujours ouvert sur lui ». Le lecteur songe aussitôt au volatile fasciné par un rapace. Déjà la Gamard en épouse le profil aux yeux de sa victime, « apercevant à toute heure, les doigts crochus et effilés de la demoiselle prêts à s'enfoncer dans son cœur ». La forme déploie ses ailes, précise ses contours, tournoie dans le champ de la vision, l'emplit d'orbes menaçants : la métamorphose est achevée. « Heureuse de vivre par un sentiment aussi fertile en émotions que l'est celui de la vengeance, la vieille fille se plaisait à planer, à peser sur le vicaire, comme un oiseau de proie plane et pèse sur un mulot avant de le dévorer ». Aucune phase de la chasse n'est oubliée : « Elle avait conçu depuis longtemps un plan que le prêtre abasourdi ne pouvait deviner et qu'elle ne tarda pas à dérouler ». Qui donc, les ayant observées, ne revoit alors

les manœuvres de l'épervier resserrant les anneaux de
son vol avant de fondre sur un oiseau que la frayeur cloue
au sol ? En s'attachant à presque tous les personnages
importants de *La Comédie Humaine*, on multiplierait à
foison ces exemples de projection grandiose, élargissant
les statures et les gestes jusqu'aux étoiles, à moins qu'ils
ne les plongent jusqu'aux profondeurs de l'abîme.

C'est la terrible action qui se passe sous le toit du
père Grandet, « une tragédie bourgeoise sans poisons,
ni poignard, ni sang répandu, mais, relativement aux
acteurs, plus cruelle que tous les drames accomplis dans
l'illustre famille des Atrides ». C'est Mlle d'Escrignon,
qui « survit à son frère, à ses religions, à ses croyances
détruites » : comprenez sa déception d'avoir vu son neveu
Victurnien, lui marquis, se mésallier avec une héritière
bourgeoise. Elle apparaît, dans sa tristesse, « plus grande
que jamais », comparable « à Marius sur les ruines de
Carthage ». C'est la malheureuse Pierrette Lorrain :
pour donner à son histoire « d'immenses proportions,
il suffit de rappeler qu'en transportant la scène au moyen
âge et à Rome sur ce vaste théâtre, une jeune fille
sublime, Béatrix Cenci, fut conduite au supplice » par
les mêmes persécutions, factions, passions infâmes, qui
menèrent Pierrette au tombeau. C'est Pons, *le chineur*,
qui, pour satisfaire à vil prix sa passion des chefs-d'œuvre
anciens, déploie avec habileté des moyens d'action « si
péniblement cherchés par les ambassadeurs pour déterminer la rupture des alliances ». C'est Camusot, le juge
d'instruction qui pour satisfaire sa passion de la vérité,
se livre « à mille suppositions » comme une femme jalouse ;
et « les fouille avec le poignard du soupçon comme le
sacrificateur éventrait les victimes ».

Constamment l'idée appelle l'image, laquelle travestit
l'acteur du drame en cours : elle lui passe un masque
nouveau, hausse ses cothurnes, et, variant ainsi les phases
du rôle, rend sensibles aux yeux les nuances de la pensée
et du sentiment. De ces métamorphoses poétiques sort
un personnage plus imposant, ou plus délicat, ou plus

grand, dont la physionomie s'enrichit d'expressions et prend un relief colorié. Balzac trahit ainsi sa passion intellectuelle. Il veut épuiser la matière de ses perceptions sans y parvenir ; la substance renaît toujours plus abondante de son imagination. *Idéer* (néologisme qu'il avait pu emprunter à Bonald), *poétiser une idée, dorer de poésie les idées*, les *agrandir* : par ces expressions le romancier désigne clairement les deux facultés qui, comme deux pôles magnétiques, attirent les éléments dont se nourrit son génie inventif.

***

Nous n'avons point à faire ici la critique philosophique du système illuministe, ni du problème psychophysiologique. Recueillons quelques-uns des jugements formulés par Balzac lui-même. Il affirmait dans *Louis Lambert*, puis dans l'*Avant-Propos* de 1842, que ses hypothèses sur « ce nouveau monde moral » ne peuvent « *déranger* les rapports certains et nécessaires entre les mondes et Dieu », « ni *ébranler* les dogmes catholiques ». Cette prétention est contredite par le rôle de simple messager qu'il attribue à Jésus-Christ, par l'explication exclusivement magnétique qu'il donne de ses miracles : leur auteur est ainsi dépouillé de sa divinité, de sa toute-puissance ; par la proscription de la grâce élevante et sanctifiante : celle-ci n'aurait aucune utilité dans ce surnaturalisme rationaliste.

Entre ces opinions contradictoires, l'idée fondamentale de *Jésus-Christ en Flandre* réservait un moyen de conciliation. Ce conte était fantastique dans sa première partie, mystique dans la seconde ; chacune des deux conservait sa signification, occultiste dans celle-ci, philosophique dans celle-là. La première avait paru en deux fragments, *Zéro* et *La Danse des Pierres*. Ces titres expriment un symbole parlant. L'Eglise de France en 1830 = o. C'est une vieille femme écroulée dans le ruisseau : *jam fœtet*. Un passant dit d'elle : « Cela est

rond comme une calotte..., c'est noir et vide. Etait-ce
une femme vraiment vivante ou une entéléchie ? »
L'Eglise, institution divine, qui par la parole de son
Fondateur jette un défi permanent aux puissances
délétères des siècles, apparaissait effondrée. Elle était
redevenue une idée, comme avant sa réalisation par
les mœurs et les monuments. Elle était une « entéléchie »,
c'est-à-dire une force active, une puissance dynamique,
mais pour le moment neutralisée : l'idée d'incrédulité
subjuguait alors l'idée de foi. *La Danse des Pierres*
reprend le même thème de façon plus saisissante : après
la chute de Charles X, Balzac assiste dans une église à
un sabbat nocturne. Toutes les parties de l'édifice se
disloquent, et se mettent à danser au son des orgues
qui jouent toutes seules. Ce rêve « est une saisissante
vision des idées religieuses se dévorant elles-mêmes, et
croulant les unes sur les autres, ruinées par l'incrédulité
qui est aussi une idée ». Nous ne pouvons plus nous
étonner que les idées, « ces forces vives », se dressent
les unes contre les autres, se combattent. Il y en a qui
« dépérissent faute de force ou d'aliments ». Elles meurent
rarement. La troisième partie de *Jésus-Christ en Flandre*
démontre combien elles sont vivaces. Les esprits tournés
vers le progrès des lumières et la perfectibilité ont déserté
le catholicisme ; mais les humbles, « les parias de la société,
ceux qu'elle bannit de ses universités et de ses collèges,
restent fidèles à leurs croyances, et conservent, avec
leur pureté morale, la force de cette foi qui les sauve,
tandis que les gens supérieurs, fiers de leur haute
capacité, voient s'accroître leurs maux avec leur orgueil,
et leurs douleurs avec leurs lumières » *(Introduction
aux Etudes Philosophiques)*.

L'idée de foi a des réserves, des merveilles de civilisation à réaliser encore. Au lieu d'en rester à une conclusion
pessimiste, le conteur adopte l'attitude des initiés. Tout
en essayant de répandre la doctrine illuministe, qui pour
lui représente la vérité, il encouragera de même, dans la
foule, les pratiques du catholicisme. Mais seul l'ésotérisme

martiniste et swedenborgien nourrit et fait vivre son être intérieur.

Quant au matériel romanesque dont il surcharge ses tableaux : décors empyréaux, cortèges archangéliques, ascensions angéliques, concerts de musique astrale, sistres d'or, harpes, cantiques, embrasements célestes, etc., lui-même avoue à Nodier que ce sont des « illusions » *dont il aime à se nourrir*, et qu'il met à part de ses théories psychophysiologiques. Ce sont des visions poétiques, auxquelles il confère un sens extatique. Il lui est arrivé dans *Séraphîta* d'introduire sur le même plan la méditation religieuse, la vision artistique, les rêveries du sommeil : différentes dans leurs modes, elles aboutissent au même objet transcendantal, à cette Révélation personnelle des abîmes supérieurs où l'esprit rencontre l'Absolu.

On peut se poser la question : Balzac croyait-il à un Dieu personnel ? Au moment où l'androgyne Séraphîta dépouillant son enveloppe terrestre aborde à la rive du ciel, sous la forme d'un séraphin transfiguré en « un point de flamme », il pousse cette clameur : « Eternel ! Eternel ! Eternel ! » Il « prend alors possession de l'infini ». Cette clameur désigne-t-elle simplement la substance unique où retourne tout être vivant, qu'il soit matériel ou spirituel, pour se réintégrer, dans son état primitif, à l'âme universelle, foyer dont il émane ? Pourtant, à différentes reprises, Balzac s'est défendu de professer le panthéisme. Sa pensée reste assez confuse sur ce point, comme celle des écrivains contemporains, Lamartine, George Sand, Musset. Avec M. Jean Soulairol, ne peut-on considérer comme l'argument de *Séraphîta*, ce passage posthume de Victor Hugo, rattaché au Chant des *Voix*, dans la grande édition de *Dieu* ?

> Swedenborg prit un jour la coupe de Platon,
> Et, pensif, s'en alla boire à l'azur terrible..
> Il revint éperdu, chancelant, effaré,
> Ployant sous la lueur farouche des étoiles,
> Voyant l'homme à travers des épaisseurs de voiles

Et de tremblants rideaux de lumière où sans fin
Multipliés, flottaient l'ange et le séraphin.

A la génération romantique jetée en proie aux chimères
par la mélancolie, toujours déçue dans ses quêtes de
l'unique bonheur, *Séraphita*, pour la convertir à l'enthousiasme, ouvrait une voie qui montait vers la *divine*
espérance. Cette théodicée, comme celle de *Louis Lambert*,
est à base de néo-platonisme, et son créateur, Plotin,
figure parmi les auteurs dont s'autorise Louis Lambert.
Qu'il s'agisse de Dieu, de la Parole (le Logos), de l'émana-
tion des âmes individuelles et de leur retour à l'âme
universelle, des notions de vertu et de prière, la ressemblance, ou mieux l'identité est parfaite. En dépit de
certaines apparences, « des différences fondamentales
séparent cette philosophie de la doctrine chrétienne et
cela non seulement dans la théologie de la Trinité, mais
dans la doctrine morale et mystique qui conduit à
l'union à Dieu... Cette union est le fruit de l'*abstraction*
intellectuelle et non de la *grâce* qui n'y a aucune part »,
pas plus que l'effort de la volonté, puisque la vertu n'est
qu'un « simple dépouillement, par l'âme, d'un élément
étranger, la matière » et qui s'accomplit presque automa-
tiquement (1).

A la fin de la *Physiologie du Mariage* un vieil
émigré se vante d'avoir rapporté d'Allemagne la
doctrine d'un christianisme poétique et transcendantal.
Comprenons que la pensée de Balzac s'était baignée dans
ce même courant théosophique. Il avait étudié plus ou
moins quelques ouvrages de Jacob Boehme ; il avait
plagié l'*Abrégé des Œuvres de Swedenborg* avec une
introduction par Daillant de la Touche, et deux ouvrages
de Saint Martin, l'*Homme de Désir* et le *Ministère de
l'Homme-Esprit*. Il avait lu *La Nuée sur le Sanctuaire
ou Quelque chose dont la philosophie orgueilleuse de notre*

(1) Cf. le P. CAYRÉ, *Patrologie et Histoire de la Théologie*, t. I.
Cette réfutation du plotinisme vaut pour le système mystique énoncé
dans *Séraphita*.

temps ne se doute pas d'Eckartshausen. Il subit d'autres influences contemporaines qui se rattachaient à la théosophie importée d'Allemagne : Mme de Staël, le pasteur Ancillon, Baader, sans parler des naturalistes et des savants. Balzac n'a-t-il que vulgarisé le système des illuministes ? Tout engoué qu'il fût de ses devanciers, il tenta de régenter leur enthousiasme « par le génie cartésien » ; de clarifier leurs nébuleuses théories, « de faire rentrer dans les bornes de la logique cette mer de phrases furieuses ». De même qu'il concilie la théosophie et le catholicisme, de même il rattache l'illuminisme au rationalisme scientifique. Voici leur point de jonction. On a souvent constaté combien sont opposés le mysticisme occultiste, et le matérialisme des Philosophes et des Encyclopédistes. Ceux-ci proscrivent toute ingérence mystérieuse dans le système de la nature, alors que le martinisme en est saturé. Les *correspondances*, ce langage qui relie tous les règnes, tous les êtres, du grain de sable à la planète, va prendre une sorte de consistance. Balzac admet une continuité physique à travers toutes les sphères. Nous avons déjà parlé de cette chaîne des causes : c'est l'*idole d'échelle*, instituée par Bacon, et que raillait Joseph de Maistre. Elle pénètre jusque dans le monde métaphysique et de plus en plus avant, grâce aux perfectionnements attendus de nos facultés.

Ce que Balzac appelait le mysticisme, influença profondément et sa vie et son œuvre (1). Très porté par tempérament, vers les joies solides concrètes, sensuelles, il n'en était pas moins ravi de s'envoler vers les régions éthérées. Malgré ces « élans sublimes », il restait pour lui-même hostile aux pratiques minutieuses de la dévotion. Outre les romans précités, il y en a d'autres où ces personnages sont conduits par ces croyances illuministes. Balzac y persévèrera-t-il jusqu'à la fin ?

(1) Cf. dans Henri BERGSON, *Les Deux Sources de la Morale et de la Religion*, pp. 323 sqq., les différences essentielles qui existent entre le mysticisme antique (dont s'inspirent Swedenborg, Saint-Martin, Balzac) et le mysticisme chrétien.

Le 21 juin 1840, il déclare formellement à Mme Hanska que *c'est sa religion* ; le 12 juillet 1842, que *c'est le fond de son cœur.* « Vous savez quelles sont mes religions, je ne suis point orthodoxe et ne crois point à l'Église romaine. Je trouve que s'il y a quelque plan digne du sien, ce sont les transformations humaines faisant marcher l'être vers des zones inconnues. C'est la loi des créations qui nous sont inférieures : ce doit être la loi des créations supérieures. Le *swedenborgisme,* qui n'est autre qu'une répétition, dans le sens chrétien, d'anciennes idées, est ma religion, avec l'augmentation que j'y fais de l'incompréhensibilité de Dieu » (*A Mme Hanska,* 21 juin 1840). Il cherchait autre chose, et il ne trouva rien de plus sûr pour abriter son espérance que de revenir à la vieille église vers laquelle l'avait ramené tant de fois son admiration, comme un oiseau lassé de raids trop audacieux se fixe en refermant ses ailes, sur la croix dorée du clocher familier.

Le 14 mars 1850, en Pologne, à la cérémonie même de son mariage avec Mme Hanska, Balzac communiait après s'être confessé. De retour à Paris, le mal ne l'avait plus lâché ; sur sa demande, le curé de sa paroisse était venu l'entretenir à plusieurs reprises ; dans cette bouche, dit le Dr Nacquard, « la religion n'était plus que la plus haute expression de l'Univers ». De ses mains, le dimanche matin 18 août, le mourant reçut l'Extrême-onction, en faisant signe qu'il comprenait. A onze heures et demie du soir, Balzac était mort.

**

Balzac ne voyait aucune contradiction dans cette alliance de mysticisme occultiste avec le catholicisme. Bien mieux, pour lui, ces deux formes religieuses se complétaient utilement, sinon nécessairement ; le mysticisme remplaçait les dogmes, leur substituait une sorte d'agrégat de notions scientifiques sur le magnétisme, psychophysiologiques, évolutionnistes. Cette doctrine ésotérique

ne rejetait nullement la participation à la loi exotérique
de la morale catholique, à ses pratiques : les déclarations
swedenborgiennes que nous venons de citer sont de la
même époque que la composition d'*Ursule Mirouët*,
paru en août-septembre 1842. Ce roman traduit cet état
d'âme et utilise ses données. Une fois de plus le romancier
insuffle à des personnages fictifs ses propres convictions
qui passent de sa vie dans son œuvre. Le mysticisme
devient une matière d'art. Il se confond souvent avec
le fantastique. S'il vise à produire les mêmes effets, il
s'en distingue toutefois par son objet, lequel se confine
aux rapports de l'âme avec la Divinité, ou avec la région
de l'Absolu, en des actes vertueux. Lorsque Balzac
introduit ainsi des événements préternaturels dans la
trame romanesque, ils prennent à ses yeux une valeur
probante ; et aux nôtres, un air de gravité qui confère
au récit un caractère plus profond. Ces faits employés
comme moyens dramatiques pour corser une intrigue,
préparer sa progression, notre rigueur répugne à les
admettre comme vraisemblables. Nous savons cependant
que Balzac les croyait possibles, qu'il disait en avoir
observé de tels, de réels ; à cause de cela, nous épousons
sa candeur, nous nous en vêtons pour entrer dans la
conduite des personnages.

Rappelons que dans sa lettre à Nodier (1832), il avait
insisté sur les faits psychologiques de l'onéirocritique,
sur « le somnambulisme de l'être intérieur », sur « les
phénomènes si notablement excentriques du sommeil »
où s'anéantissent et l'espace et le temps. *Ursule Mirouët*
sera, neuf ans plus tard, l'utilisation romanesque de toutes
ces théories. Minoret-Levrault a dérobé, puis brûlé le
testament de son oncle, le Dr Minoret, qui léguait ses
biens à sa pupille et filleule Ursule. Le défunt apparaît
à la jeune fille plusieurs fois en rêve ; il lui dévoile les
actions criminelles de Minoret-Levrault qui l'ont frus-
trée ; il lui indique le moyen de se faire rendre justice.
Ursule l'obtiendra, secondée en cela par son curé,
M. Chaperon. Ursule est la piété en personne. Le prêtre

reçoit ses confidences avec entière approbation : il ne discute pas un moment l'authenticité de l'apparition et des ordres que le mort formule de l'au-delà ; il s'en sert même comme d'arguments pour amener le coupable Minoret-Levrault au repentir et à la réparation. Tout au long du roman le mysticisme occultiste joue un rôle considérable. Il sera utilisé de nouveau dans *Le Cousin Pons* (1847) : Balzac nous exposera ses idées sur la divination, les visions et les phénomènes « avérés, authentiques, issus des sciences occultes », dans un chapitre entier : *Traité des Sciences Occultes*. Nodier dans *Smarra*, GeorgeSand dans *Lélia* avaient fait une place au fantastique, à l'étrange. Nouss avons que c'était un genre très en faveur chez les romantiques. Ce qui est digne de remarque dans *Ursule Mirouët*, c'est l'union intime des deux éléments, le préternaturel et le catholicisme pur. L'explication des phénomènes tend à résoudre ce que l'Eglise catholique nomme miracle, au jeu de forces naturelles, encore mal connues : notre volonté, et la survie de facultés posthumes. Le curé Chaperon, type de la perfection sacerdotale, de la foi totale, unit à ces dons éminents la science et la largeur d'esprit. Il ne répugne nullement à ratifier de son autorité religieuse l'authenticité de ces phénomènes extraordinaires. Il les explique à Ursule par la théorie de Balzac sur les idées : créations vivantes de l'homme, subsistant par elles-mêmes d'une vie propre dans le monde spirituel, « ayant des formes insaisissables à nos sens extérieurs, mais perceptibles à nos sens intérieurs quand ils sont dans certaines conditions ». Ursule a été « enveloppée » pendant son sommeil par les idées du Docteur, et par celles de Minoret-Levrault, le coupable. Elle a vu les actes dont ces idées avaient été l'essence : le temps et l'espace n'existant plus quand on dort. Après avoir amené des bouleversements, des coups de théâtre, préparé la crise définitive, ces mêmes événements la dénoueront.

Le mysticisme occultiste est un des ressorts les plus puissants de *La Comédie Humaine*, très couramment employé dans la structure de l'intrigue et des caractères. Combien de personnages, comme Henriette de Mortsauf, Ursule Mirouët, la Fosseuse, seront doués de facultés occultes, ou soumis à leurs influences, comme la mère Cibot !

CHAPITRE III

L'UTILISATION ESTHÉTIQUE
ET ROMANESQUE DU CATHOLICISME

En septembre 1831 paraissait *Jésus-Christ en Flandre*. La date finale du conte, « Paris, février 1831 », était significative. Balzac venait de voir sous ses yeux une foule en délire saccager l'Eglise Saint-Germain-l'Auxerrois, voler, piller, incendier le palais archiépiscopal. Tant de chefs-d'œuvre de l'art ancien profanés, stupidement anéantis ! Tant de beaux meubles, d'incunables, d'éditions rares, jetés à la Seine ! Ces scènes de sauvagerie du lundi et mardi gras, « cette nouvelle *fête des fous* », l'avaient indigné. Il les avait décrites dans sa *Lettre sur Paris* du 18 février, parue dans le *Voleur* : « Tel était le catholicisme de 1831... ». Ses goûts d'esthète ressentirent un choc qui ne fut point étranger à sa résolution de « défendre l'*Eglise* » (1), sans en être la raison déter-

(1) On m'a objecté que la conclusion apologétique de *Jésus-Christ en Flandre* : « Croire ! me dis-je, c'est vivre ! Je viens de voir passer le convoi d'une Monarchie, il faut défendre l'*Eglise* », avait été ajoutée par Balzac seulement dans l'édition de 1845. Elle ne figure ni dans l'édition de 1831, ni dans celle de 1836. Balzac n'en a pas moins maintenu dans l'édition de 1845, la date finale de février 1831. En rendant sa conclusion plus explicite, il indiquait qu'elle se dégageait déjà du conte tel qu'il était en 1831. Elle y était déjà formulée en ces termes : « Vois et Crois ». Les paragraphes qui précèdent ces deux mots et les suivent énuméraient les bienfaits innombrables répandus par l'Eglise sur la Civilisation. Ils composent

minante. C'était une idée arrivant à terme. Rappelons-
nous la théorie balzacienne. « Parfois l'idée... nous use
par un long enfantement, se développe, devient féconde,
grandit au dehors dans la grâce de la jeunesse et parée
de tous les attributs d'une longue vie : elle soutient les
plus curieux regards, elle les attire, ne les lasse jamais :
l'examen qu'elle provoque commande l'admiration que
suscitent les œuvres longtemps élaborées ». Le mot
Eglise s'était ouvert devant les yeux de l'enfant comme
un album en couleurs dont chaque page multipliait les
merveilles. « Par leur seule physionomie, les mots raniment
dans notre cerveau les créatures auxquelles ils servent
de vêtements ». Voyons celles-ci se lever une à une,
peupler d'images la notion du catholicisme. Emmené
par sa mère aux cérémonies, aux *Te Deum* des victoires
impériales célébrés dans la cathédrale de Tours. Honoré,
vivement ému par les chants sacrés, la présence du pon-
tife, la rutilance des ornements sacerdotaux, en garde
une vision qui reprend toutes ses nuances dans de nombreuses descriptions. Cet adolescent de quatorze ans
revient rêver seul à l'ombre du grand vaisseau de pierre,
errer dans la pénombre de la nef pour y chercher des
frissons sacrés dans « la majestueuse horreur — ou les
« incroyables sublimités » — du silence ; mais aussi « le
pittoresque religieux », « la voix touchante des harmonies
religieuses mises en branle par la cloche de la cathédrale ». A quatorze ans, il lit les *Lettres édifiantes*, et

un hymne d'admiration et d'affection pour « la plus belle, la plus
vraie, la plus féconde de toutes les puissances ». Sa décrépitude
actuelle provoque des regrets. Mais devant les merveilles du passé,
Balzac concluait déjà par une parole d'espoir et de confiance en l'avenir de l'Eglise : « Vois et Crois ». La conclusion ajoutée en 1845 :
« Croire, me dis-je, c'est vivre... », confirme, mais n'altère en rien
celle de 1831. On ne peut tirer de celle-là aucun argument qui
empêche de considérer la mention : « février 1831 », assignée dans
l'édition de 1845, comme la date décisive où Balzac s'engageait
de lui-même à « défendre l'Eglise ». Il se faisait ainsi son propre
exégète. Trois mois plus tard, janvier 1832, il clamait sa résolution
à tous les vents.

sa jeune imagination s'enchante à suivre les bons Pères missionnaires du Paraguay s'enfonçant « dans les forêts primordiales », pour convertir les sauvages. Il entend son père, quoique athée et bon voltairien, affirmer que l'Eglise catholique « à ne la considérer que sous le rapport politique », n'a pas d'égale pour le bien qu'elle a généralement fait pour avancer la civilisation, par sa douceur, et l'union générale par une égale justice due à tous les hommes ». La leçon portera son fruit. Dans l'un de ses premiers ouvrages, l'*Histoire Impartiale des Jésuites* (1824), le jeune auteur vante les succès des Pères, fondateurs de villages modèles, « apôtres et législateurs ». « A-t-il jamais paru dans l'Univers une plus belle preuve que la religion chrétienne, fidèlement observée, mène un Etat au bonheur ? » Voilà la pierre d'angle sur laquelle le penseur bâtira son système politico-social.

Voici la première assise posée en 1829, dans *La Peau de Chagrin* : « Nous devons au *Pater noster*, nos arts, nos monuments, nos sciences peut-être, et bienfait plus grand encore, nos gouvernements modernes... ». Cette phrase pourrait servir d'épigraphe à *Jésus-Christ en Flandre* (1830-31), où sont énumérées toutes les œuvres que le peuple des moines accumule dans les Sciences, les Arts, la Littérature, la Charité, pour le bien de l'humanité.

En janvier 1832, Balzac fait un pas décisif : il adhère au parti néo-légitimiste. Dans un recueil de morceaux littéraires, *L'Emeraude*, il publie *Le Départ*, un article sentimental sur le départ de Charles X. « Sur ce vaisseau l'accompagnent les arts en deuil ». « La signification du mot *catholicisme* si souvent jeté comme un reproche à la tête du vieillard que nous déportons » prend ici toute son ampleur, revêt toutes ses parures : « le luxe, les arts, la pensée », toutes « ces belles choses qui font une patrie grande et forte ». Les goûts fastueux sont d'essence aristocratique et royale. Qu'attendre d'un gouvernement bourgeois, d'une médiocratie intéressée ? Le roi légitime « emporte la France », c'est-à-dire le privilège de l'immense

pouvoir qui décrète l'argent « nécessaire aux essais longtemps infructueux, aux lentes conquêtes de la pensée
et aux subtiles illuminations du génie ». Toutes ces caresses
de l'espérance voltigent autour de l'auteur déjà réputé.
Tout autant que la Royauté, l'Eglise s'est montrée
l'inspiratrice et la protectrice des arts, la nourrice des
artistes.

Le mot *Eglise* représente maintenant « un essaim »
d'idées qui l'assaillent délicieusement. L'une d'elles,
— suivons toujours sa théorie — projette son fluide ;
il veut briguer un siège de député. Il prépare sa candidature et publie dans le *Rénovateur* (26 mai et 2 juin 1832),
l'organe néo-légitimiste, une sorte de programme élec-
toral : *Essai sur la situation du parti royaliste*. Retenons
ce passage essentiel de sa profession : « La meilleure
société doit être celle qui, tout en donnant du pain aux
prolétaires, en leur offrant les moyens nécessaires pour
s'instruire et posséder, contraint néanmoins les excès
probables de la partie souffrante d'une nation en présence
de la partie aisée ou riche...

Parmi tous les moyens de gouvernement, la religion
n'est-elle pas le plus puissant de tous pour faire accepter
au peuple ses souffrances et le travail constant de sa
vie ? Enfin, une religion sans symboles, sans action,
une religion purement intellectuelle est-elle possible ?...

Toutes les doctrines royalistes sont implicitement
dans ces deux pensées, qui se résument par la religion
catholique et la monarchie légitime.

La légitimité, système inventé plus pour le bonheur
des peuples que pour celui des rois, découle de l'impossi-
bilité de gouverner le peuple quand l'Etat reconnaît
des droits égaux à celui qui ne possède rien comme à
celui qui possède beaucoup, à celui qui n'a point d'idées
comme à celui qui a conquis une puissance intellectuelle.

Le catholicisme a pour lui l'autorité des faits : les
pensées philosophiques les plus belles sont impuissantes
à comprimer le vol, et les discussions sur le libre arbitre
le conseillent peut-être, quand la vue d'une croix, quand

Jésus-Christ et la Vierge, sublimes images du dévouement nécessaire à l'existence des sociétés, retiennent des populations entières dans leur voie de malheur, et leur font accepter l'indigence...

Ainsi, le parti royaliste est philosophiquement rationnel dans ses deux dogmes fondamentaux : Dieu et le Roi. Ces deux principes sont les seuls qui puissent maintenir la partie ignorante de la nation dans les bornes de sa vie patiente et résignée ».

Par sa dureté, cette conception du christianisme rétrécissait singulièrement la place de la charité de l'amour fraternel dont le Maître avait fait un même précepte avec l'amour de Dieu. Le dialecticien démontrera bien que ces théories de l'absolutisme politique, issues de Bonald et de Joseph de Maistre, aboutissent au bien-être des classes laborieuses, au relèvement, à la vitalité, à la prospérité de la famille, la cellule sociale par excellence. On chercherait en vain dans tout cela la moelle de la tendresse évangélique.

Le Médecin de Campagne (1833) est un essai fictif des applications pratiques que favorisent ces théories politico-sociales, dans le domaine du gouvernement et de l'administration d'un canton, complètement renouvelé par elles, passant de la mort à la vie, économiquement et moralement. Les résultats sont admirables, naturellement, et tous les obstacles qui s'y opposaient, vaincus d'avance. Voici nettement exprimée la position religieuse de Bénassis, le médecin de campagne, porte-parole de Balzac et instigateur de ces transformations : « Autrefois, je considérais la religion catholique comme un amas de préjugés et de superstitions habilement exploités desquels une civilisation intelligente devait faire justice. Ici, j'en ai reconnu la nécessité politique et l'utilité morale ; ici j'en ai compris la puissance par la valeur même du mot qui l'exprime. Religion veut dire *Lien*, et certes le culte, ou autrement dit la religion exprimée, constitue la seule force qui puisse relier les espèces sociales et leur donner une forme durable. Enfin, ici, j'ai respiré le baume

que la religion jette sur les plaies de la vie ; sans la discuter, j'ai senti qu'elle s'accorde admirablement avec les
mœurs passionnées des nations méridionales ». A quoi
bon commenter cette dernière phase surtout ? L'observation des faits, les résultats historiques, le sentiment
suffisent à décider l'adhésion au catholicisme moral.
A quoi bon *discuter* ? A quoi bon se lancer dans la
métaphysique. Le biais par lequel notre apologiste — car
il revendique ce rôle, — aborde, dans *Le Curé de Village*
(1836), la notion de l'Eglise, est toujours le plus voyant,
le plus positif, le plus éclatant : les intérêts terrestres,
la prospérité matérielle, l'ordre social. C'est tout cela
qu'ambitionne l'abbé Bonnet quand il rêve, au Séminaire
de Saint-Sulpice, de son futur apostolat. Choisir un coin
de terre ignoré, y « prouver par son exemple... que la
religion catholique, prise dans ses œuvres humaines (1),
est la seule vraie, la seule bonne et belle puissance civi-
lisatrice ». Ce sera dans un bourg perdu du Haut-Limou-
sin, Montégnac, où les habitants sont de vrais sauvages.
Par son entremise et son zèle, lui, très humble curé de
campagne, améliorera comme par miracle, l'état physique et moral de la terre en friche et des gens arriérés.
L'expérience de Montégnac, comme celle de Voreppe,
prouvent que la religion catholique est le ferment social
par excellence, mais aussi le seul frein des passions.
Constamment, Balzac se réfèrera à cette définition qu'il
donne pour la première fois dans *Le Médecin de Campagne*.
« Le catholicisme est un système complet de répression
des tendances dépravées de l'homme ». C'est par là surtout
qu'il devient « un instrument propre à gouverner »,
« une nécessité politique », « le seul pouvoir qui puisse

(1) C'est l'argument dont se servira également le curé Chaperon
pour décider le Dr Minoret, dont le matérialisme est ébranlé, à se
convertir au catholicisme : « Cher Docteur, dit le bon prêtre, vous
aurez compris bientôt les grandeurs de la religion et la nécessité
de ses pratiques : vous trouverez sa philosophie, dans ce qu'elle a
d'humain, bien plus élevée que celle des esprits les plus audacieux ».
Ursule Mirouët.

sanctionner les pouvoirs civils et politiques », soumettre
les masses à l'obéissance légale.

La réflexion du curé de Montégnac, en parlant de
l'Eglise, — « prise dans ses œuvres humaines », — comme
celle de Bénassis : « sans la discuter », indique-t-elle une
restriction mentale de Balzac ? Nous laisse-t-il entendre
que les vérités dogmatiques n'ont à ses yeux aucune
importance ? Bien sûr. Et nous le savons déjà. Ces textes
n'ont besoin d'aucun commentaire. Ils reflètent l'idée
du catholicisme envisagé comme un « code de morale »
sociale. Ses dogmes sont des mythes admirablement
féconds, celui de la communion eucharistique par exemple,
qui est le lien de la fraternité, de la sociabilité universelles.

L'exposé complet du système catholique balzacien
comporterait bien des nuances. On se tromperait si,
se basant sur quelques erreurs de détail en casuistique
et en liturgie, on accusait l'ignorance religieuse du
romancier. En fait, il avait sérieusement médité les
données dogmatiques essentielles du catholicisme : de
nombreuses réflexions le prouvent. Choisissons celle-ci
dans *Le Catéchisme social*. « Le catholicisme est la plus
parfaite des religions en ce qu'elle condamne l'examen
des choses jugées et qu'elle admet par l'Eglise les complé-
ments séculaires de la religion qui tend ainsi à se rapprocher plus intimement de Dieu. Le sort que les hérésies
ont préparé à l'Europe prouve en faveur du catholicisme. La Révélation est continue dans l'Eglise, elle est
bornée chez les hérétiques ». Ce n'est point à la légère,
mais consciemment, qu'il a rejeté pour lui-même, le
magistère de l'Eglise enseignante. Il n'en faisait pas
moins ressortir toutes les grandeurs qu'il y percevait.

Très tôt d'ailleurs, la rigidité de son conservatisme
s'atténue, s'amollit sous un sentiment de pitié que Saint-
Simon, Lamennais insufflent à son cœur pour la classe

laborieuse. Les curés balzaciens comme leurs modèles, saint Paul et Fénelon, sont doués de la *faculté sympathique*, marque authentique de l'apôtre saint-simonien, *l'artiste-prêtre*. Ils adhèrent aux doctrines de *l'Avenir*. Les Janvier, les Bonnet, les Chaperon, les Brossette associent intimement leur ministère pastoral aux intérêts populaires ; leur cœur brûle de tendresse pour les humbles et les déshérités, les parias de la société. Balzac songe à lui-même, au *Livre Mystique*, en écrivant dans *La Duchesse de Langeais* (1835) : « Quand Lamartine, Lamennais, Montalembert et quelques autres écrivains de talent doraient de poésie, rénovaient et agrandissaient les idées religieuses, tous ceux qui gâchaient le gouvernement faisaient sentir l'amertume de la religion ». Il en viendra jusqu'à regretter, dans un article de la *Revue Parisienne*, le 25 septembre 1840, que la Cour de Rome ait refusé de prendre « la potion fortifiante, l'élixir » de la « démocratie catholique » que Lamennais lui avait proposés. En appropriant « cette réforme » aux circonstances, pense-t-il, « en [la] faisant sortir du sein de l'Eglise », le Pape « l'eût rendue salutaire » et par elle, « il aurait sauvé les trônes ». Vers le même temps, dans son *Catéchisme Social*, il intitule un chapitre, *De l'Esclavage*. « Il existe sous nos yeux des Esclaves innommés, plus malheureux que les esclaves nommés, que l'esclave chez les Turcs, que l'esclave chez les anciens, que le nègre ». Ce sont les ouvriers d'usine que leurs patrons laissent presque mourir de faim et d'épuisement. Leur malheureux sort avait provoqué en 1838, de la part de Lamennais, un violent pamphlet, *De l'Esclavage moderne*. Avant cela, Benoiston de Chateauneuf et Villermé, membres de l'Académie des Sciences morales et Politiques, mandatés par elle, avaient entrepris, dès 1832, des enquêtes sur la condition des ouvriers dans les manufactures. Vers le même temps, le Vicomte de Villeneuve-Bargemont, leur collègue, inaugurait le mouvement catholique social. Balzac les suivait ; il mentionne les statistiques de Benoîston sur le nombre des enfants trouvés ; il admire ce savant (*Physiologie du mariage*, 1829).

En 1842, il commence de publier la première partie de *L'Envers de l'Histoire Contemporaine*. Il y montre de pieux laïcs réunis en une association charitable sous le nom de « Frères de la Consolation ». Ils pansent les plaies sociales dans le grand Paris, par leurs œuvres d'assistance aux gens de toutes classes, aussi bien les pauvres honteux que les ouvriers. Afin d'étudier les besoins de ces derniers, d'améliorer leur condition matérielle et morale, l'un des Frères, Monsieur Alain, se fait « contre-maître dans une grande fabrique dont tous les ouvriers sont infectés des doctrines communistes, et qui rêvent une destruction sociale, l'égorgement des maîtres. Ainsi pourra-t-il pénétrer dans cent ou cent-vingt ménages de pauvres gens égarés sans doute par la misère avant de l'être par les mauvais livres ». Cet « institut naissant » aura des répliques réelles et nombreuses dans l'Eglise de France, pendant la deuxième partie du XIXe siècle ; ses conditions, ses débuts fictifs dans la prose de son fondateur, les exploits charitables de ses membres profitèrent largement des modèles que fournissaient la Société des Conférences de Saint-Vincent de Paul, fondée par Frédéric Ozanam, et la Société d'Economie Charitable, dirigée surtout par le Vicomte Armand de Melun. Leurs initiatives, leurs pieuses industries se retrouvent toutes dans la Société des Frères de la Consolation. Balzac et Melun se connaissaient pour s'être rencontrés assez souvent vers 1835, dit ce dernier dans ses *Mémoires*, aux soirées littéraires du prince Metchersky, prince et poète, que fréquentaient de nombreux gens de lettres.

L'Envers de l'Histoire Contemporaine (1842-1848) est donc à la fois le poème de la charité chrétienne et un chapitre d'histoire de l'Eglise de France. Ce roman prend tout son sens dans les avis que Mme de la Chanterie, supérieure de cet Institut d'hommes, puis le doyen des frères, M. Alain, donnent à Godefroid, l'Initié, c'est-à-dire au nouveau postulant : Croire fermement, s'abandonner

totalement entre les mains de Dieu, « être un instrument
docile aux doigts de la Providence, anéantir tout amour-
propre, dépouiller toute vanité et toute complaisance
en soi-même », pratiquer la pauvreté matérielle jusqu'à
l'avarice « sordide » pour soi-même, et bien consentie,
afin de répandre tous ses biens en aumônes. Parmi ces
recommandations, la plus instante, sans oublier la prière,
concerne l'humilité, l'effacement. Tandis qu'ils répandent
leurs bienfaits, les Frères se présentent comme les mandataires, les agents d'une personne pieuse. Leurs bonnes
œuvres ne tendent qu'à aimer Jésus-Christ dans les
membres endoloris de ses frères. Cette charité effective
est la traduction visible de l'amour intérieur et divin.
« Ainsi, pour nous, le malheur, la misère, la souffrance,
le chagrin, le mal, de quelque cause qu'ils procèdent,
dans quelque classe sociale qu'ils se manifestent, ont les
mêmes droits à nos yeux. Quelle que soit surtout sa
croyance ou ses opinions, un malheureux est avant
tout un malheureux ; et nous ne devons lui faire tourner
la face vers notre sainte mère l'Eglise qu'après l'avoir
sauvé du désespoir ou de la faim. Et, encore, devons-
nous le convertir plus par l'exemple et par la douceur
qu'autrement ; car nous croyons que Dieu nous aide en
ceci. Toute contrainte est donc mauvaise ». Mme de la
Chanterie s'est élevée au sommet de la perfection non
seulement par la résignation, la patience dans ses
« effroyables » malheurs, mais par la sublimité des pardons
qu'elle accorde à ses bourreaux. « C'est une image vivante
de la Charité ».

Un usage adopté par les Frères de la Consolation,
c'est de lire et méditer chaque jour un chapitre de l'*Imitation* afin de prendre goût aux afflictions, aux croix
de l'existence pour l'amour de Jésus-Christ. Les *Epîtres*
de Saint-Paul sont leur manuel social. Il est nécessaire
qu'ils aient « absorbé dans leur cœur et dans leur intelligence le sens divin de l'épître... sur la charité », avant
de prétendre se livrer à l'exercice de leur apostolat. Nous
voici plongés au cœur du surnaturel chrétien le plus pur.

Balzac touche à l'idée qui l'amène à la compréhension totale du sens catholique : la fraternité dans le Christ : c'est la formule paulinienne : *In Christo Jesu*, l'identification mystique de tous les chrétiens au Christ par la grâce. Balzac distingue parfaitement les deux concepts réunis par Jésus sous le mot *amour*, et par l'apôtre Paul, sous le mot *charité*. De la charité ou amour de Dieu pour nous, qui permet notre union avec Lui par la grâce et confère à nos actes une valeur méritoire, découle l'amour effectif du prochain ou la charité envers lui, qui s'exerce par des œuvres de miséricorde spirituelle ou temporelle. Celles-ci par la grâce divine ont une portée éternelle. Il en résulte entre gens unis ainsi par la Charité catholique, « un sentiment immense, infini » qui a ses « délices ». C'est « une amitié sublime » exempte de toute petitesse, et de tout mécompte. Elle est le lien de la minuscule communauté que préside Mme de la Chanterie : les cinq messieurs éprouvent pour cette femme « un amour d'âme à âme » que « la religion permet ». De telles certitudes sont exaltantes. Godefroid en ressent une plénitude de vie, et ses forces s'en décuplent. « Vivre pour autrui, agir en commun comme un seul homme, et agir à soi seul comme tous ensemble ! avoir pour chef la Charité, la plus belle, la plus vivante des figures idéales que nous avons faites des vertus catholiques, voilà vivre ». C'est en voulant « s'annuler » qu'il a découvert cet immense pouvoir : il est ainsi récompensé de son « abnégation ». Malheureusement, depuis la Révolution, l'individualisme a tué « l'association », « une des plus grandes forces sociales », il a substitué la philanthropie à la charité. Chaque fois que l'occasion s'en présente, Balzac condamne la première, attendu que la vanité en est le seul motif. Il ajoute : « La religion catholique peut seule obtenir une discipline » sans laquelle aucune association, charitable ou autre, ne peut subsister. « Aussi toute association ne peut-elle vivre que par le sentiment religieux, le seul qui dompte les rébellions de l'esprit, les calculs de l'ambition et les avidités de tout genre ».

La notion du catholicisme telle qu'elle est présentée dans *L'Envers de l'Histoire Contemporaine*, exprime admirablement la vertu conquérante de la charité la plus pure, celle qui fait voir en tout homme un frère à aimer et à secourir. Comme elle s'est approfondie, cette conception depuis 1831 ! Balzac écrivait alors la conclusion du *Curé de Tours*. Il s'affirmait très sceptique sur une *note* que revendique la véritable Eglise, l'universalité de foi et de préceptes. « Ce cosmopolitisme moral, espoir de la Rome chrétienne, ne serait-il pas une sublime erreur ? Il est si naturel de croire à la réalisation d'une si noble chimère, à la fraternité des hommes. Mais, hélas ! la machine humaine n'a pas de si divines proportions. Les âmes assez vastes pour épouser une sentimentalité réservée aux grands hommes ne seront jamais celles ni des simples citoyens, ni des pères de famille ». Aucun théologien n'entend parler dans un sens absolu de l'universalité individuelle. Il semble que Balzac, à ce moment-là, ne la croit pas possible, même restreinte à quelques hommes dans les différents pays du monde. Il ne pense pas que l'unité de foi crée une fraternité universelle chez tous les hommes qui professent la même croyance. Après avoir montré l'évolution du sentiment altruiste sur le plan naturel : famille, tribu, clan, cité, caste, religion, il voit dans la patrie son terme définitif. L'humanitarisme ou l'internationalisme sont des idées que seules peuvent concevoir « les meneurs de siècle ou de nation », tels que Pierre le Grand, Innocent III.

Sa pensée n'avait cessé dès lors de scruter les richesses que représente pour lui le catholicisme. Depuis 1831 jusqu'à la fin, *La Comédie Humaine* baigne dans une atmosphère chrétienne. Même quand l'influence de l'Eglise est attaquée par quelque personnage, c'est pour être défendue par un autre afin de mettre en valeur, justifier, louer les bienfaits dont elle est l'auteur.

Est-il abusif de considérer Balzac comme un apologiste du catholicisme ? Dans quelle mesure peut-on lui concé-

der ce titre ? Esquiver la réponse, ce serait faire bon
marché d'une responsabilité qu'il a volontairement assu-
mée, souvent proclamée, dans *La Vieille Fille* par exemple.
Une fois pour toutes, reléguons le désaccord de sa pensée
intime, de ses croyances martinistes, avec ses enseignements d'inspiration catholique. Comme beaucoup de
théosophes, il était convaincu que ce dualisme n'enta-
chait nullement sa conscience, n'affaiblissait en rien la
force de sa position et la valeur de sa défense, celle-ci
n'en étant que plus désintéressée à ses yeux. On peut,
si l'on veut, regretter cet état d'esprit : c'est un fait dont
il faut tenir compte. Sur le plan purement littéraire,
il éclaire la composition de quelques romans. Sur le plan
moral et religieux, l'illuminisme de Balzac est *chose
jugée*. Je ne serai nullement embarrassé quand je le ren-
contrerai tout à l'heure s'immisçant dans l'âme de la
catholique et mystique Henriette de Mortsauf, comme il
se mêlait aussi dans celle du romancier à des professions
de foi catholique. La Critique est encore loin d'avoir repéré
tous les points où la diversité d'un génie qu'on ne peut
jauger à la commune mesure, dresse des preuves de sa
grandeur aux dimensions géantes. Elle peut être figurée
comme une carte en relief où s'élèvent les pics d'un système montagneux. On ne les nivèlera pas. Il faut les
aborder l'un après l'autre. Il n'y a pas une religion de
Balzac, il y en a plusieurs. Pour le moment, c'est son
catholicisme qui est en cause. Ni les *Scènes de la Vie
Privée*, ni *Le Médecin de Campagne*, ni *L'Interdiction*, ni
Béatrix, ni *La Duchesse de Langeais*, ni *Le Cabinet des
Antiques*, ni *César Birotteau*, ni *La Vieille Fille*, ni *Le Curé
de Village*, ni *Les Employés*, ni *L'Envers de l'Histoire Contemporaine* (sauf une simple remarque (1)), ni *Les Paysans*,

---

(1) « Dieu réserve-t-il ces dernières, ces cruelles épreuves à celles
de ses créatures qui doivent s'asseoir près de lui le lendemain de
leur mort ?, dit le bonhomme Alain, sans savoir qu'il exprimait
naïvement toute la doctrine de Swedenborg sur les anges ». Cette
réflexion de Balzac ne l'empêche pas d'admirer la vitalité spirituelle
des dogmes catholiques.

ni d'autres romans encore, n'ont rien à voir avec l'illuminisme. Ils présentent le tableau des mœurs qu'offraient
l'aristocratie et la bourgeoisie sous la Restauration et
sous le règne de Louis-Philippe. Ces fictions, tranches de
la vie réelle, provoquaient les jugements du romancier.
Il opine, il approuve, il condamne aussi. Vertus, vices,
passions, travers, modes, prennent figures vivantes
d'après les modèles contemporains. La Duchesse de
Langeais incarne l'hypocrisie des convenances et du
bon ton dans la haute société parisienne. La formule,
« Voulez-vous interdire à une femme de la Cour, la sainte
table *quand il est reçu* de s'en approcher à Pâques ? »
s'applique aux pratiques religieuses comme aux autres
articles du Code mondain : conformisme utile au parti
politique qui veut tirer de la religion une assise pour son
maintien au pouvoir. Décrire cet abus pharisaïque n'est
pas l'approuver et Balzac le dénonce souvent, surtout
dans la peinture du Faubourg Saint-Germain *(Duchesse
de Langeais)*. Il raille les grandes dames : elles vont très
rarement à l'église, mais leur faconde apologétique
s'épanche « en phrases stéréotypées », en un « discours
néo-chrétien saupoudré de politique ». A cela se réduit
eur effort pieux *(Autre Étude de femme)*.

Deux conditions s'imposent à qui veut apprécier sai-
nement le concept du catholicisme balzacien : il faut le
replacer dans son époque, ne pas le considérer avec la
mentalité d'un chrétien actuel, puis l'envisager dans
son ensemble chronologique en tenant compte de son
évolution.

Quand Balzac se décidait à défendre le catholicisme,
Chateaubriand, Joseph de Maistre, Bonald, Lamennais,
Frayssinous, Ballanche, lui avaient frayé la voie. Ayant
étudié ces auteurs, dans la dernière décade, il adopte
leurs méthodes apologétiques. Lorsque le curé Janvier
veut convertir le commandant Genestas, il lui démontre
d'abord que la religion catholique protège les « intérêts
terrestres qui le touchent le plus » *(Le Médecin de Campagne)*. Il se fait l'écho de Mgr de Frayssinous. Celui-ci

tout en le regrettant — « l'esprit du siècle me force
d'abaisser ainsi mon ministère » —, n'envisage la religion
que « dans ses rapports avec les intérêts humains » ;
elle veille à la conservation des biens, écarte l'anarchie,
et nourrit dans le pauvre la résignation .Quant à l'argument tiré de la *fécondité* de l'Eglise dans tous les
domaines : art, littérature, esthétique sacrée, il était
de mise également à l'époque. Chateaubriand, Ballanche,
Lacordaire l'avaient exploité parce qu'il correspondait
à la sensibilité romantique. Qu'on n'en médise pas. Il y
aura toujours des hommes qui se laissent gagner à la
foi par les impressions du Beau : entre 1830 et 1840,
ils étaient légion. Ce serait mal fondé que de reprocher
au seul Balzac son « catholicisme de façade ».

De plus, il ne faut pas ignorer l'évolution constante
de sa pensée religieuse vers un christianisme de plus en
plus substantiel, épuré. On ne peut pas oublier l'éloge
des pratiques religieuses *(Le Lys dans la Vallée, La Muse
du Département)*, la scrupuleuse probité et la résignation
surnaturelle de César Birotteau, la contrition tourmentée,
les expiations trop cruelles, les charités populaires de
Véronique Graslin, les nombreuses conversions, entre
autres celles des deux médecins, Bénassis et Minoret,
les miséricordieux et inlassables pardons de la pieuse
Baronne Hulot envers son infâme mari. Surtout il y a
l'admirable floraison de l'héroïsme chez les Frères de
la Consolation. Leur jardin mystique est embaumé par
tous les effluves de la sainteté, vivifié par les eaux coulant
à pleins bords, des vertus théologales : la foi, l'espérance, la charité. Il est réconfortant, même aujourd'hui,
pour les âmes, de faire retraite en ce lieu. Quel chemin
parcouru depuis 1830 ! *L'Envers de l'Histoire Contemporaine* est le terme d'aboutissement pour *Jésus-Christ
en Flandre*. Ici, deux petits mots réservés à la charité,
aux moines « servant les pauvres » ; tous les développe-
ments de la pensée absorbés par le souci de montrer
l'influence magnifique de l'Eglise dans les productions
esthétiques des siècles. Là, rien, absolument rien, pour

l'extérieur, pour le luxe sacré, pour la richesse voyante d'une doctrine inspiratrice des génies artistiques ; rien pour le conservatisme politique. Tout l'effort du croyant se ramasse, se cache dans le secret intérieur afin de parfaire les mystérieuses beautés de l'âme, réservées aux regards de Dieu seul : *Omnis gloria ab intus*, tandis que *le service des pauvres*, membres souffrants du Corps Mystique de l'Eglise, emplit cette obscurité d'un dévouement fraternel d'autant plus efficace qu'il est détaché de paraître. Sur *la foi du charbonnier*, croyance instinctive des simples créatures, tant prônée jadis, Balzac faisait triompher la croyance raisonnée dans l'humilité, forgée dans les épreuves : elle était le fruit de la prière et de la méditation. Il fallait pour la cueillir s'en rendre digne par la perfection et s'engager sur « le chemin royal de la sainte Croix ».

Pour beaucoup de gens, la déclaration de 1842 énoncée dans l'*Avant-Propos* : « J'écris à la lueur de deux vérités éternelles, la Religion, la Monarchie... », recouvre le concept étriqué du catholicisme restreint à la défense de la propriété et des intérêts terrestres ; il ne pourrait en être autrement, dit-on, puisque *L'Envers de l'Histoire Contemporaine* n'a paru qu'en 1848, six ans après l'*Avant-Propos*. Ce raisonnement est faux. Le 11 octobre 1846, Balzac avoue à Hippolyte Castille : « Je recule depuis six ans devant les immenses difficultés littéraires à vaincre » pour mener à bien ce roman. Lorsqu'en 1848 parut *L'Initié*, deuxième partie de *L'Envers*, une note finale de l'auteur affirmait que cet « ouvrage fut commencé en 1840 », c'est-à-dire deux ans avant que ne soit écrit l'*Avant-Propos*. Il faut revenir aux mythes de *Zéro*, de *La Danse des Pierres*, de *L'Eglise*, les trois contes qui, raboutis, formèrent *Jésus-Christ en Flandre*. « La Religion » de 1842 n'était plus « une petite veilleuse » dont la lueur vacillante permettait tout juste à une petite vieille cassée, l'Eglise de 1830, de réciter son office en un réduit funèbre. Elle était devenue une flamme ardente et chaude, nimbant d'une nappe lumineuse une

jeune fille d'archangélique beauté. Cette dernière agitait
vers l'avenir une longue épée de feu pour embraser le
monde de sa charité. Tel était le mythe qui convenait
à l'Eglise de 1842, personnifiée par les Frères de la
Consolation.

***

Le catholicisme tel que nous venons d'en exposer l'évolution dans l'esprit de Balzac représente l'essentiel d'une
doctrine qui se rapprochait toujours plus près du conformisme nécessaire à la validité de ses apologies. Les erreurs
— il y en a — ne changent rien à l'interprétation du système. Le romancier ne l'utilisait pas seulement en vue
de la défense sociale, mais à des fins artistiques, pour
donner à sa création le caractère réaliste. « Le catholicisme... consacre dans toutes ses institutions, la grande
lutte de la vie, le combat de la chair contre l'esprit, de
la manière contre le divin. Tout dans notre religion
tend à réduire cet ennemi de notre avenir. C'est le caractère par lequel l'Eglise catholique se sépare de toutes les
religions anciennes. Notre religion est, comme je l'ai
dit dans Le Médecin de Campagne (1), « un système
complet de répression des tendances dépravées de
l'homme » ...Mᵐᵉ de Mortsauf est une expression de
cette lutte constante. Si la chair ne poussait pas son
dernier cri, je n'eusse pas fait une figure vraie à la fois
et typique comme catholicité ». On s'attendrait que cette
définition devienne l'âme des personnages tiraillés entre
la foi, entre « le grand calcul de l'éternité » et les empor-
tements de la passion, surtout amoureuse. Nous sommes
déçus. Où est-il dans La Comédie Humaine cet homme
jeune, plein de sève en sa verte vigueur, tel que l'a dépeint
Bossuet dans le Panégyrique de Saint Bernard, impétueux
dans ses désirs, mais dominant ses ardeurs au contact

(1) Balzac le répètera dans Béatrix, La Muse du Département,
L'Avant-Propos, le Catéchisme Social et en maint roman.

de la grâce divine qui l'embrase d'une force surhumaine pour mépriser les blandices de la volupté ? Où est-il ce croyant tel que Paul Bourget nous l'a décrit dans *Le Démon de Midi*, ce chrétien chaste et pieux, se débattant longtemps contre sa foi avant de succomber aux tentations d'un amour coupable, où sombre avec lui sa dignité de *leader* catholique. Le catholicisme balzacien est la religion des hommes déçus, trompés dans leurs espérances, vaincus par la vie, des vieillards lassés. Ceux qui se convertissent, donnent à Dieu les restes d'une vie ballottée, usée, flétrie. Plus encore qu'un motif surnaturel, leur expérience les porte à ce changement, quand ils se voient sur le retour, que leurs forces se diminuent dans le dégoût. Ils n'ont plus le choix : le monde ne les touche plus. Il faut faire une fin et « la religion catholique finit mieux que toute autre les anxiétés humaines ». Ainsi parle l'abbé Janvier au commandant Genestas, en lui montrant, comme Pascal, qu'il faut prendre parti et parier.

« Mais il n'en serait pas ainsi, je vous demanderais ce que vous risquez en croyant à ces vérités.

— Pas grand'chose, dit Genestas.

— Eh ! bien, que ne risquez-vous en n'y croyant point ? »

Balzac se plaît à décrire surtout « l'application du repentir catholique à la civilisation ». C'est son second principe de création littéraire. Bénassis, Véronique Graslin, s'évadent ainsi du tourment intérieur qui mine leur être après la faute. Combien eût-il été pathétique de voir se dérouler devant nous la lutte de la chair contre l'esprit, si le romancier avait tenu son programme ! Il élude la difficulté par un tour de passe-passe. Chez Bénassis, au cours de ses désordres, une indifférence absolue à l'égard des principes chrétiens ne suscite aucun combat : ses déceptions seules le ramènent Dieu. Chez Véronique Graslin, grande bourgeoise qui fait tant la dévote, l'hypocrisie, supérieurement jouée, et avec quel raffinement ! recouvre le crime : « J'ai caché ma passion à l'ombre des autels ». Elle évite ainsi de se fourvoyer dans l'horrible scandale dont elle est la cause première. Elle a fait de Tascheron son amant. C'est un jeune ouvrier et bien plus jeune qu'elle. Il assassine un vieillard en essayant de voler son trésor, qui lui eût procuré les moyens de fuir avec sa maîtresse en Amérique. Il ne paraît pas qu'ici la foi fasse obstacle aux désirs de la chair. Le repentir ne viendra pour la femme qu'au lit de mort, dix ans plus tard. Malgré des pénitences effrayantes, jamais Véronique ne peut effacer le souvenir des délices coupables. Le regret d'avoir causé la mort de son amant prime en son cœur celui d'avoir offensé Dieu. Pour reprendre le mot, *La Comédie Humaine* « consacre » les victoires de la chair sur la foi toujours défaite, mais elle prend sa revanche en offrant le spectacle édifiant du repentir fécond pour la civilisation.

D'après Balzac, il n'en est pas de même pour Mme de Mortsauf. Elle incarne cette « lutte constante », elle est « une figure vraie à la fois et typique » de la femme chrétienne, tentée d'infidélité à l'égard d'un mari qui est un bourreau. La vertu répressive du catholicisme prend ici toute sa signification puisque cette créature angélique est le Lys dans la Vallée que n'aura pas étiolé de son souffle desséchant le Démon de Midi, que la mort tranchera dans sa splendeur immaculée.

La peinture des nuances dans une âme de femme malheureuse, Balzac l'avait souvent abordée dans ses romans psychologiques : *La Femme de Trente Ans*, *La Femme abandonnée*, *Le Message*, *La Grenadière*, *Madame Firmiani*. Sauf pour la première, leurs aventures ne se déroulent pas dans l'extraordinaire. L'analyse ténue, délicate, des sentiments qui peuplent le désert d'une amante délaissée, d'une épouse incomprise, fait tout le charme de ces récits voilés de douce mélancolie, assombris de souvenirs dont la douceur persistante rompt parfois l'amertume et la désespérance. La religion ne tenait aucune part dans les drames où s'était joué le bonheur

essentiellement humain de Mmes de Beauséant, d'Aiglemont, de lady Brandon. Elle était comme non avenue
dans ces âmes, hier adonnées aux jouissances de l'amour ;
elle y était, non pas décriée, mais ignorée par une sorte
d'oubli facile, commandé en ces sortes d'intrigues par
les usages mondains. Elle n'avait aucun rôle de conso-
latrice, de soutien à remplir dans le cœur de ces amantes
aujourd'hui vaincues, endolories de leur défaite et de leur
abandon. *Le Lys dans la Vallée* compléta la série de ces
portraits par celui de la femme pieuse et déçue. Balzac
voulut refaire *Volupté* (1834) pour se venger d'un article
malicieux de Sainte-Beuve. Les deux héros, Amaury
et Félix de Vandenesse, démontrent qu'il est impossible
à l'homme de dominer les sens par un amour platonique,
à moins qu'ils ne soient subjugués par des vœux religieux,
ou par une foi profonde et vivante. Des deux héroïnes,
celle de *Volupté*, Mme de Couaën, s'enveloppe d'une telle
réserve pudique en son chaste silence, que nous n'oserions
imaginer quelque soupçon portant atteinte à son honneur
altier. Celle du *Lys*, Mme de Mortsauf, subit les assauts
de la tentation, à ciel ouvert, pourrait-on dire : nous
n'ignorons rien de sa lutte ; toutes les phases, avec leurs
moindres incidents, nous en sont exposées. Femme
malheureuse au cœur délicat, au cœur meurtri par les
grossièretés et les violences d'un mari maniaque et malade
imaginaire, elle voit un sentiment l'envahir peu à peu,
la submerger d'amour pour un jeune homme qui l'admire,
la console par un dévouement éperdu. Une seule chose
la retient de se donner à lui : sa foi chrétienne. Tout l'art
du romancier consiste dans les analyses ténues du sentiment et de ses nuances, dans l'intuition des secrètes
ferveurs, des alternatives où la tendresse spontanée, puis
contrite, puis rétractile, donne la clef des tourments
intimes. Les incidents extérieurs comptent pour peu
de chose : l'imagination livre à peu de frais une
matière poétique. Tout le monde sait que l'amour de
deux amants fait d'un désert un univers peuplé de sensations.

Le catholicisme passe ici de la morale sociale à la morale individuelle, du plan doctrinal à celui de la casuistique. Des « petitesses deviennent grandes ». Pour une conscience pieuse, comme celle d'Henriette de Mortsauf, une parole, un murmure, un silence, un geste, un serrement de main, un sourire, un soupir, une pensée consentie, un regret, qui ne sont même pas taxés d'impondérable légèreté par le code mondain peuvent être des fautes graves parfois, au jugement d'un confesseur, si ces actes sont inspirés par une intention formelle, par un désir coupable non réprimé. Tout cela peut offrir au partenaire, au sigisbée, les témoignages d'un triomphe acquis sur les contraintes de la foi. De sa part à lui, le séducteur, aucun genre d'attaque ne peut surprendre puisque pour mener cette stratégie, l'invention de Balzac utilisait ses théories psychophysiologiques et des ressources acquises par l'expérience. Parmi celles-ci, la religiosité romantique était de bonne guerre avec une femme pieuse. Suivant le goût du jour, l'amant emprunte à la liturgie catholique des expressions adoratrices ; au rituel sacré, des formules, des attitudes prosternées, des litanies, des invocations qui, par une profanation poétique, sont détournées de leur sens mystique pour servir au culte d'une idole charnelle. Les serments revêtent ainsi le caractère grave, émouvant que leur confère une sanction éternelle supposée : *et nunc et semper*. Ils s'enveloppent d'un encens qu'on dérobe à l'immortelle Divinité, et ces parfums diluent la volonté de celle qu'ils entêtent. Faust recourt à tous les maléfices pour fasciner sa proie.

La crise que subit Henriette de Mortsauf, la lutte qu'elle soutient, c'est la matière dramatique par excellence fournie par le catholicisme au romancier. On sait les ressources que le génie de Corneille en tira dans les alternances des sentiments que Pauline manifeste à Polyeucte. En transportant cette situation dans la société contemporaine, Balzac avec son sens aigu de l'observation pouvait rendre déchirantes les phases des énivrements passionnels, des troubles, des combats intérieurs.

Mais puisqu'il voulait que la grâce triomphât de la chair, il aurait dû en faire mieux sentir, à travers les tentations, les touches, les relèvements, les soutiens divins. Il ne le pouvait pas : l'esprit surnaturel lui manquait. Il n'avait pas la notion du péché, le sentiment de la faute, l'horreur des instincts charnels, de la souillure. Il n'a pas compris la force, l'énergie que donne la grâce obtenue par le mérite de la lutte. Il avait découvert dans l'histoire des mœurs une théorie assez banale. Le catholicisme a grandi, ennobli, affiné l'amour, l'a paré de délicatesses. Il en a fait « un royaume idéal, plein de sentiments nobles, de grandes petitesses, de poésie, de sensations spirituelles, de dévouements, de fleurs morales, d'harmonies enchanteresses et situé bien au-dessus des grossièretés vulgaires, mais où vont deux créatures réunies en un ange enlevées par les ailes du plaisir ». Ces considérations sont extraites de *Béatrix*. On en perçoit les échos dans la *Physiologie du Mariage*, *La Fausse Maîtresse*, *La Rabouilleuse* et dans des articles. Elles reviennent à dire que la galanterie a profité de la pudeur chrétienne pour varier, embellir, multiplier, dramatiser les jouissances de l'amour. Que de ressources en ces mots pour un romancier ! Quel moyen utile pour pimenter une intrigue, que la hantise du péché et du « fruit défendu » ! Cette conception romanesque repose sur un faux principe : le sentiment religieux raffinant chez la femme la délicatesse du cœur, rend plus ardent le plaisir de sa chute par le contraste des émotions ; toutes ses craintes, toutes ses hésitations sombrent dans le bonheur. « L'espoir du pardon la rend sublime ». Balzac va jusqu'à juger le protestantisme comme « la mort de l'art et de l'amour » parce qu'il exempte l'amante du scrupule moral. Idées païennes que justifierait parfois la faiblesse inhérente à des âmes tièdes, pratiquant un christianisme conformiste, superficiel, de routine ou d'hypocrisie mondaine, comme la duchesse de Langeais. Ayant choisi comme protagoniste de la fidélité conjugale, une comtesse de Mortsauf, qu'il a dépeinte toute pieuse, toute fervente, communiant fréquemment, il eût dû savoir que le péché, même de pensée, ne peut cohabiter dans un cœur avec l'amour de Dieu. La tentation à l'état de crise aiguë qu'il décrit, ne peut durer pendant tant d'années : c'est vivre dans une occasion permanente et très prochaine de péché mortel. Quoi qu'il dise, aucun directeur ne pourrait la tolérer, encore moins l'autoriser. Imaginez le cas qu'il aurait à résoudre ; toutes les circonstances en sont exposées dans la lettre posthume d'Henriette à Félix : relisez-la. Henriette a vingt-huit ans, Félix vingt-deux. Elle est absolument dégoûtée de son mari ; lui d'un tempérament très ardent et très sensuel que ne bride aucune contrainte morale. Pendant huit ans, de 1815 à 1823, jusqu'à la mort d'Henriette, ils ne sont jamais longtemps sans se revoir. Ils vivent sous le même toit, partagent les intimités d'un même foyer pendant des mois et des mois. Comment cette femme peut-elle se dire et se croire chrétiennement honnête, quand avouant à son ami le tumulte de ses sens, elle ne cesse d'attiser son désir en de entretiens très particuliers, tenus au clair de lune ou dans l'ombre des charmilles complices ? Leurs conversations n'ont qu'un objet : les splendeurs de l'amour vrai, l'excellence du renoncement et du sacrifice. Lui l'interrompt par des déclarations de plus en plus enflammées ; elle répond par des demi-aveux, des abandons palliés, de poétiques soupirs, des larmes de regret, des colères jalouses. La belle prêcheuse est une pédante convaincue du contraire de ce qu'elle enseigne sur le Saint Amour, à son fervent admirateur « trop aimé ». Il y a dans cette situation une intempérance d'imagination, et pour le coup, une invraisemblance effrénée. Balzac qui se vantait de recourir au *Dictionnaire des Cas de Conscience* en usage parmi les vieux ecclésiastiques de son temps *(Auberge Rouge)*, a manqué l'occasion d'éviter une grave méprise en psychologie, et en physiologie. C'est ainsi qu'en utilisant un drame intime créé par les croyances religieuses, il quitte l'esthétisme littéraire pour se fourvoyer dans le roman-feuilleton.

Henriette de Mortsauf expose régulièrement ses états d'âme à son directeur, le vieil abbé de la Berge. Quoique « austère » et bien « sévère », il fait preuve d'une excessive indulgence : « certain » que l'éloignement de l'ami causerait la mort de l'amie, (faut-il que leur passion soit forte !) il permet à celle-ci de garder celui-là près d'elle, pourvu qu'elle l'aime comme on aime un fils et en lui destinant sa fille. Ce subterfuge prouve la subtilité d'un casuiste trop artificieux.

Balzac s'est érigé plus d'une fois en directeur de conscience, avec une bonne volonté touchante, mais une maladresse trop manifeste. Confesseurs et directeurs interviennent très souvent dans *La Comédie Humaine*. Ils remplissent trop facilement l'office du *deus ex machina*, comme l'abbé Loraux entre le comte Octave et sa femme Honorine *(Honorine)*. Qu'il ait pu se rencontrer quelque homme noir, capable de machinations aussi ténébreuses que celles ourdies à leur profit par les chanoines Fontanon *(Une Double Famille)*, Troubert *(Le Curé de Tours)*, Cruchot *(Eugénie Grandet)*, par le vicaire Habert *(Pierrette)*, c'est imaginable. Mais on s'étonne qu'après la mort du sage et compréhensif abbé de la Berge, une femme intelligente et sensée comme Mᵐᵉ de Mortsauf, remette la conduite de son âme, la solution de cas très délicats à un être aussi nul que l'abbé Birotteau, dont toute la pénétration d'esprit consiste à « s'attendrir au lieu de réprimander ». Sa conduite au chevet de sa pénitente moribonde est dénuée de tout sens critique. Celle-ci parvenue au bord du gouffre éternel, se laisse, « nouvelle Chloé », emporter dans un délire sensuel. Attirant à elle son ami, elle lui jette dans l'oreille ces paroles de petite fille rageuse qui réclame un jouet : « Est-il possible que je meure moi qui n'ai pas vécu... Je veux vivre. Je veux monter à cheval aussi, moi ! Je veux tout connaître, Paris, les fêtes, les plaisirs... Je veux être aimée, je ferai des folies, comme lady Dudly » *(sa rivale)*. Voyant cela, le pauvre confesseur désemparé tombe à genoux et, mains jointes, l'œil au ciel, mêle les *Kyrie eleison* de ses litanies aux divagations de l'amante.

Cette scène de l'agonie, telle que l'a imaginée Balzac, a été diversement appréciée. On sait que Mme de Berny — c'était une femme de goût et d'expérience, sensée et sûre dans ses jugements, — la condamnait. Parmi les critiques, il en est qui l'estiment sublime ; qui l'admirent comme une des plus belles et des plus émouvantes du livre, comme un symbole puissant et vrai des deux natures rivales en qui s'affrontent l'épouse et l'amante. L'art ne vit-il pas de contrastes ? Les âmes sensibles sont déchirées à leur tour par le désespoir de cette femme. Elle a lutté farouchement toute sa vie pour garder intègre sa vertu et sa dignité nuptiales. Ces principes chrétiens qui l'ont soutenue pendant huit ans, voilà que tout d'un coup, au moment de paraître devant son Souverain Juge, elle les renie avec éclat et proclame qu'elle s'est grossièrement trompée. On prend soin d'avertir deux fois le lecteur que ce sont des « mouvements de folie », des alternatives entre la résignation céleste et le désespoir terrestre, que les parfums des fleurs « agissaient trop fortement sur les nerfs » de la moribonde. « Ainsi donc les fleurs avaient causé son délire ; elle n'en était pas complice. Les amours de la terre, les fêtes de la fécondation, les caresses des plantes l'avaient enivrée de leurs parfums et sans doute avaient réveillé les pensées d'amour heureux qui sommeillaient en elle depuis sa jeunesse ». Ce sont là de mauvaises raisons, des raisons puériles. Il faut croire que le romancier s'en rendait compte. Pour nous faire accepter le bien-fondé de cet état mental, il met en frais d'éloquence deux prêtres, « hommes divins », il nous impose la sentence d'un médecin, et sa propre glose que nous connaissons : tout cela ne nous convainc nullement. Henriette de Mortsauf, avouant à son mari, quelques instants avant de mourir et dans une posture ridicule, son amour platonique pour Félix, Véronique Graslin confessant publiquement à un archevêque, ses amours coupables avec Tascheron, pendant une messe

célébrée d'après un rituel extravagant, choquent la vrai-
semblance et les convenances. En d'autres endroits, *La
Comédie Humaine* présente l'exemple de cette incompréhension à l'égard des réalités spirituelles.

L'exemple le plus typique, le plus abracadabrant en
est offert par Esther Gobseck, de son nom de guerre
La Torpille *(Splendeurs et Misères des Courtisanes)*.
Cette « prostituée de la plus basse espèce », de race juive,
est placée par un faux-prêtre, forçat en rupture de ban,
Carlos Herrera, dans le couvent parisien où sont élevées
les jeunes filles de la plus haute aristocratie. Elle s'y
prépare, pendant quelques mois, au baptême et à la
première communion en même temps qu'elle se forme
aux belles manières d'une femme comme il faut, afin
de redevenir, ainsi transformée, la maîtresse secrète de
Lucien de Rubempré, et de le porter au faîte des honneurs
et des succès mondains, en régnant comme une Ninon,
une Marion Delorme, une Dubarry. Balzac rivalise avec
Eugène Süe, Pigault-Lebrun. Les jeunes lectrices pleu-
reront. Elles croiront que c'est ainsi la religion catholique ; que les pensées de l'amour charnel et païen, les
vanités et les coquetteries s'accordent dans le recueille-
ment du cœur quand une première communiante, toute
fière de sa parure, de sa mine, s'avance vers l'autel,
vers son céleste fiancé, au milieu des acclamations, même
muettes, dont elle se sent entourée, sous son voile lilial.
L'ironie voltairienne, le scepticisme boulevardier n'ont
point inspiré ce tableau : cela eût mieux valu. Nous ne le
critiquons pas par souci du genre édifiant, mais à cause
du défi qu'il porte à l'interprétation saine, authentique,
pénétrante, réaliste, d'un fait presque banal : la simplicité
de la foi dans un cœur de jeune fille. La foi d'intuition,
de sentiment, apanage des natures frustes, refusait toute
alliance avec la raison. Aux yeux de Balzac, c'était la
vrai foi, la seule profonde et puissante ; c'était *la foi
du charbonnier*. Il a cru la réaliser dans cette prostituée
Ether Gobseck, nature sans calcul, instinctive s'il en fût.
Sa conversion insulte au bon sens, brave toutes les impos-

sibilités physiques et morales. Il serait facile mais déplaisant d'en faire les preuves.

Remarquons enfin que les données catholiques du *Lys dans la Vallée* sont contaminées par celles du martinisme dont Henriette de Mortsauf est une très fervente adepte. Il faudrait une étude très poussée de ce dualisme religieux qui comporte en droit une incompatibilité absolue. Cette femme a des visions, des prémonitions. Elle a cette « faculté surprenante » de voir se dérouler dans une autre région la destinée de ceux qu'elle aime ; « elle entend une voix douce qui lui explique sans paroles, par une communication mentale », les conseils qu'elle doit leur donner. Ainsi se manifeste l'état mystique où la Prière plonge les illuminés. Deux fois dans sa vie, elle parvient à l'entrée du sanctuaire céleste. Le château de sa vie intérieure est tapissé d'images poétiques. Tandis qu'elle croit avec certitude à son don de seconde vue, elle laisse son confesseur attribuer ces faits merveilleux à une intervention divine. Elle est réticente avec ses deux directeurs et leur cache ses convictions martinistes qui autorisent ses extravagances sentimentales.

Cette situation correspond exactement à celle de Balzac. Elle ne permet pas de considérer le cas de l'héroïne comme celui d'une chrétienne intégrale. Une question se pose. Jusqu'à quel point cette position rend-elle possible dans cette âme l'influence sanctifiante des sacrements ? *Le Lys dans la Vallée* est un spécimen achevé du système religieux que professe son auteur : un catholicisme formaliste et traditionnel se complétant et s'épurant dans l'illuminisme martiniste, lequel infuse dans l'esprit le souci d'une activité sociale et altruiste ; c'est ce qu'il appelle d'après *le Philosophe inconnu* « la prière active ». Ce roman est une fabulation parfaite de sa doctrine. Mais Henriette représente bien mal la lutte de l'esprit contre la chair.

*
* *

Si l'on veut apprécier à son titre la valeur d'art qu'un romancier imprime au sentiment chrétien, il est presque indispensable de comparer *Le Lys* et *Volupté*. Ils diffèrent par leur alliage et par leur façon. Sainte-Beuve avait une connaissance approfondie des dogmes chrétiens. Il avait, d'un esprit curieux, exploré la littérature sacrée, butiné les sucs mystiques de certains Pères de l'Eglise. Son intelligence déliée faisait gageure de dérober furtivement les secrets des consciences. La sienne venait de se débattre dans une crise religieuse. Tout cela ne le préparait-il pas à décrire les tortures intimes où se déchirait un chrétien sollicité par l'assouvissement des sens, se convulsant dans les pièges lascifs de la beauté charnelle, quand, irrité du joug qui lui imposait le servage platonique d'une femme, il endurcissait dans le désordre un cœur révolté contre la loi divine ?

Balzac n'avait point essuyé comme Sainte-Beuve, les orages de la foi, ni retiré comme lui, d'un commerce assidu avec les auteurs sacrés et les Pères de l'Eglise, la moelle de sainteté, ni l'ascétique contenance qu'elle inspire dans une admiration même sans efficace. L'égoïsme de sa nature sensuelle avait affadi, à chaque liaison nouvelle, l'idée de flétrissure, si même il l'avait jamais eue. Aucun scrupule ne tenait sur cette voie son désir en suspens. Rappelons comment, au début du *Lys dans la Vallée*, Félix se laisse emporter par la frénésie d'un tempérament qui brusquement se révèle à lui-même, et rend à la beauté de Mme de Mortsauf un hommage qui, pour le moins qu'on en puisse dire, prouve une tumescente animalité. La retenue grave, prolongée, d'Amaury, puis son tumulte tout intérieur est autrement pathétique. Quelle discrétion chez Sainte-Beuve dans cette lente montée du sentiment où s'exténue un désir altéré ! L'art rend les tentations plus insidieuses. Que d'insistances parfois vulgaires chez Balzac ! Le drame se passe, si l'on ose dire, à fleur de peau, procurant des effets faciles. Au contraire, de quel regard insinuant le psychologue subtil suit, sans en excepter aucun, les méandres, les remous, les détours de la tentation, succédant aux élans évasifs. Il note les plaies cruelles que les aiguillons infléchis déterminent dans cette âme affaiblie, appauvrissant sa noble substance au gré des mouvements orgueilleux, téméraires, même follement prodigues de générosité. Il n'oublie rien des obsessions, hantises, promptes faiblesses, chutes fangeuses suivies d'amertume et de dégoût, traversées de résolutions factices, d'errantes velléités. Il procède sans hâte mais avance d'une marche sûre ; observateur patient comme un clinicien, il la suspend au moindre indice nouveau.

Des deux héroïnes, le vrai Lys (1), c'est Mme de Couaën ; aucune souillure, même légère, ne paraît léser sa corolle immaculée. Une imperturbable croyance a pour toujours érigé son cœur dans l'altitude des vaporeuses blancheurs qu'effleure l'aile de l'Archange. Son angoisse des tendresses humaines ne s'évade pas de la zone maternelle ; elle est sans calcul surtout (2), ni désespoir : la sincérité n'en fait-elle pas tout le prix ? Sa candeur ne peut soupçonner la faute, ni l'imprudence qu'elle commet d'enchaîner le cœur d'un jeune homme. Mme de Mortsauf

---

(1) Je ne sais si l'on a déjà remarqué que, parmi les *nombreux* emprunts de Balzac à *Volupté*, on pouvait compter le titre même de son *Lys dans la Vallée* ? « J'avais aperçu là-bas, répondis-je, une forme fine et blanche dans l'ombre, et je croyais que c'était vous ; mais ce n'était qu'un lys, — un grand lys, — que d'ici, voyez, à sa taille élancée et à sa blancheur dans l'ombre de la verdure, on prendrait pour la robe d'une jeune fille ». (Amaury à Mme R...) : — Ah ! vous cherchez à raccommoder cela avec votre lys... » *Volupté*, II, p. 59, édit. originale Renduel, 1834. D'autres prétendent que la Comtesse Guidoboni-Visconti aurait suggéré à Balzac, ce titre traduit de celui d'une nouvelle anglaise, *The Lily in the valley*, publiée à Londres en 1820, qu'elle avait révélée à son ami.

(2) « Elle m'accordait — reconnaît Amaury — de m'aimer à l'égal et comme l'aîné de ses enfants ». Mme de Mortsauf parlait de même à Félix, mais en se mentant à elle-même : c'était par hésitant espoir et subterfuge. Au lieu que Mme de Couaën était tout à fait sincère.

halète sans cesse après la détente des caresses furtives ; elle soupire sans cesse vers ce dictame. L'écrivain effectue sa création selon son bon plaisir. Il n'empêche que son mode d'action, *operatio sequitur esse*, trahit sa propre essence. Il tire de son fond des personnages qui participent à sa nature, dut-il, comme ici, modeler leur âme d'une matière qu'il emprunte à l'inspiration divine. Balzac et Sainte-Beuve ont traité leur sujet d'après les inclinations et les penchants de leur tempérament : l'un, plus que l'autre, avait reçu l'intelligence des sources secrètes. On dirait d'un vieillard expert à la direction *(regimen)* des âmes : il détermine dans celle d'Amaury les attouchements mystérieux de la grâce, puis son cheminement, les remous qu'elle cause. Il marque le progressif équilibre de la volonté secondée par la force d'en-haut et reprenant peu à peu le rythme vital des instincts supérieurs. On a dû répéter souvent que Racine était son dieu.

Ce que l'auteur de *Volupté* rend très sensible dans le caractère d'Amaury, celui du *Lys* l'a gauchement, vainement tenté pour Mme de Mortsauf. Elle demeure en proie à sa fièvre sans que jamais ne la tempère une fraîche accalmie apportée par la grâce ; c'est réduire à néant le secours divin ; nous l'avons démontré dans l'étude psychologique de cette femme. Similitude remarquable, les deux écrivains mêlent dans l'âme de leur personnage, l'influence du martinisme et celle du christianisme pur. Henriette de Mortsauf, Amaury se disent l'un et l'autre éclairés par les suaves enseignements de *L'Homme de désir*. Au lieu que chez lui en découle une ferveur soumise à l'Eglise, s'engendre chez elle une indépendance d'esprit favorable à la passion qui la tourmente. Enfin, Sainte-Beuve se tait sur la façon dont Mme de Couaën pratique sa religion. Est-ce par décence ? Par crainte de profaner le ministère sacré ? Ne serait-ce pas plutôt par une habileté que l'art devine ? Pas une fois, il n'a fait intervenir le directeur de conscience dans la conduite de cette amitié amoureuse. Ce qualificatif convient-il, ne con-

vient-il pas à l'affection que nourrit Mme de Couaën
pour Amaury ? Nous l'ignorerons jusqu'au dernier
moment. Ou si nous l'interprétons à notre guise, que ce
soit à notre risque. Balzac au contraire fait endosser
aux deux confesseurs successifs de Mme de Mortsauf
la responsabilité de la situation perplexe et périlleuse
où se débat son cœur partagé ; une décision plus clair-
voyante, qu'aurait dû dicter leur état, eût coupé court.
La souplesse de Sainte-Beuve rejetait comme un outil
trop grossier, ce moyen rudimentaire dont abusaient
George Sand, Eugène Süe, et les feuilletonnistes. Il pré-
férait laisser au secret du sanctuaire les avis et les conseils
impénétrables qu'un pasteur expérimenté dispense sous
l'œil des Anges aux brebis égarées. Une page de *Volupté*
nous l'atteste : personne n'a porté un jugement plus res-
pectueux sur le rôle miséricordieux et réconfortant assumé
par les directeurs de conscience. L'agonie de Mme de
Couaën, scène de sublime grandeur, émeut l'être jusqu'à
sa fibre profonde, par une simplicité revêtue de l'éloquence que les symboles expriment par les gestes rituels.
Elle traduit la fermeté tranquille d'un mourant, baigné
dans les certitudes prochaines de sa libération. Chateaubriand n'atteignit point ce pathétique, et Balzac l'affubla
d'un travesti théâtral. L'art consommé de Sainte-Beuve,
sa pudeur, nous permettent « d'ébaucher une ombre »
que l'âme endolorie de son héroïne voilait soigneusement.
Il se sert de mouvements rétractiles pour doser l'émotion,
pour instiller dans le drame des effets inattendus et
rapides. Dans cette cérémonie suprême où va se dénouer
une tragédie charnelle, l'écrivain manie avec respect
des objets redoutables, entoure le caractère sacerdotal
d'une vénération majestueuse. Jocelyn agit et parle en
acteur, Birotteau en niais, mais Amaury en vrai prêtre,
soumis au Dieu trois fois saint dont la volonté ménage
au pécheur humilié, contrit, une consolation. Les troublants souvenirs s'effacent, les vénéneuses complaisances
sont écartées. La puissance des réalités spirituelles manifeste son auguste origine. Elle ceint d'une énergie surna-

turelle les reins du ministre sacré. Sa foi le transfigure devant cette moribonde jadis tant convoitée par des désirs impurs, à jamais éteints et repentis. Les formules sacrées qu'il prononce — et c'est Amaury — en parcourant de ses doigts consacrés les organes des sens peccamineux qu'il oint de l'huile réparante, nous incitent à rompre leur signification. Sainte-Beuve interprète leur traduction, l'adapte, pour faire deviner le tumulte du subconscient. Il utilise à plein l'esthétique du sacrement. Son intention devient notre perspicacité. Soudain s'ouvre « le rideau » que cette chrétienne intangible tenait fermé sur son cœur, même devant l'ami. Soudain nous découvrons les vagues de fond qui s'étalaient sans troubler jamais la surface polie du lac d'Irlande, image qui pour Amaury symbolisait la majesté liliale de Mme de Couaën, fille de la verte Erin.

Devant ce tableau tout empreint de sérénité, les boursoufflures et l'éclat tapageur dont Balzac a surchargé ses peintures en décrivant l'agonie de Mme de Mortsauf et celle de Mme Véronique Graslin, témoignent l'incompétence et la maladresse : son audace n'y pouvait suppléer. Il avait peine à concevoir l'invisible beauté qui n'est pas à la merci des sensations. Un mauvais génie masquait à son égard les lueurs que diffuse, tamisées ici-bas, le foyer de l'éternel amour. Il n'en découvrira le rayonnement qu'avec *L'Envers de l'Histoire Contemporaine*, le dernier de ses romans. Par quel privilège Sainte-Beuve s'appropria-t-il la faculté contraire ? Toujours est-il que dans *Volupté*, son talent purgea son effort des impertinences et des altérations romantiques qui ternissent l'intention chrétienne du *Lys dans la Vallée*.

Si l'on considère dans les deux romans la vie catholique elle-même, sentie dans ses exigences et ses profondeurs, c'est Sainte-Beuve qui implique ce foyer au centre de l'action. C'est lui le vrai réaliste dont l'art consiste en secrets inavoués, en demi-teintes et qui, pourtant, solennise le dogme. Balzac, faut-il le redire ? court tou-

jours aux formes conventionnelles, prévues : il voit tout
en dehors pour illustrer un thème de sa façon.

*
* *

Quoi qu'il en soit, Balzac mit le réalisme au service
de l'idée catholique. Il en a saisi les beautés poétiques.
Il a rivalisé d'abord avec Chateaubriand, Lamartine dans
la peinture des décors extérieurs. Qu'on se rappelle
par exemple le tableau de la prière du soir à Clochegourde.
Mais il fut surtout l'initiateur du roman à idées, que
d'aucuns appellent roman apologétique. Ce genre gisait
dans les limbes, étouffé par une poussière d'auteurs
mornes, ennuyeux. Leur médiocrité répandait une gri-
saille très terne sur les splendeurs de leur foi : ils en
donnaient le dégoût. *Le Médecin de Campagne, Le Curé
de Village, L'Envers de l'Histoire Contemporaine* furent
comme des raids audacieux dans un ciel désert. Par ces
tentatives, l'inspiration romanesque toujours en quête
du merveilleux chrétien relégua les fadeurs usées des
temps antiques. Sa matière d'art, elle la trouvait dans
les formes et les décors quotidiens, dans les mœurs contemporaines, même parmi les couches populaires. Elle y avait
découvert des problèmes à résoudre littérairement, plus
vitaux, plus passionnants que la morbidesse des René.
Elle engageait le catholicisme sur le terrain des réformes
sociales et de la Charité. Avant Bourget, Barrès, Bazin,
Baumann, Péguy, avant Bordeaux, Mauriac, Bernanos,
etc., il y avait eu Balzac.

Tout n'est pas caduc dans son œuvre apologétique.
Elle lui procure, aux yeux des croyants, un titre de
gloire qu'ils ne laisseront pas proscrire. Car elle continue
d'opérer ce qu'il visait : une influence sur les esprits,
une influence favorable au bien-être des masses, à leur
progrès moral. Il dégageait de la vie humaine les grandes
lois qui la dominent. Il montrait par les faits que les
individus, comme la société, s'exposent aux pires épreuves
chaque fois qu'ils s'écartent du Décalogue ; qu'en celui-c

réside le secret de l'héroïsme. Nous le voyons se traduire
en vertus chez Bénassis, Véronique Graslin, Mme de la
Chanterie et ses disciples, César Birotteau, le juge Popinot, le Marquis d'Espard, Bourgeat le porteur d'eau, le
notaire Chesnel, le Docteur Mirouët, Pierrette Lorrain,
Ursule Mirouët, Mme Hochon, Marguerite Claës, Eugénie
Grandet et sa mère, la vieille paysanne mère des
« enfants trouvés » *(Le Médecin de Campagne)* etc...
Leur biographie nous propose des *Elévations chrétiennes sur les Mystères de la Douleur*, dont la couverture
pourrait être illustrée, comme l'était celle du *Médecin
de Campagne* par une vignette représentant *Jésus portant sa croix*. Tous ces chrétiens s'appuient au sol ferme
les misères tangibles à soulager, des épreuves à subir
en toute résignation. Ils ne se perdent pas dans les fantasmagories ; leur calvaire et leur ascension sont des
réalités. Chacun se sent devenir meilleur à fréquenter
de telles gens, symboles vivants de la *vérité éternelle*,
vers laquelle, disait Balzac, « tout écrivain de bon sens
doit essayer de ramener notre pays ». Pour le catholicisme du moins, il ne se trompait pas : les événements
donnaient raison à son apologétique expérimentale
qu'adoptèrent de nombreux imitateurs.

CHAPITRE IV

LES IDÉES POLITIQUES

Balzac place sur le même plan de l'évolution historique « le Catholicisme et la Royauté, deux principes jumeaux » dit-il dans l'*Avant-Propos*. Il était pour la Légitimité c'est-à-dire pour l'absolutisme, et pas du tout pour une royauté constitutionnelle. Sa carrière d'homme et d'écrivain — 1830-1850 — s'écoula sous le règne de Louis-Philippe, et il ne cessa de mépriser la Monarchie de Juillet : « Si je ne puis vivre sous une monarchie absolue, je préfère la République à ces ignobles gouvernements bâtards sans action, sans bases, sans principes, qui déchaînent toutes les passions sans tirer parti d'aucune et rendent faute de pouvoir, une nation stationnaire ». Il voyait dans le roi, la permanence d'un pouvoir fort, énergique, moteur des progrès, arbitre des classes dans leurs intérêts divergents ou contraires, et seul capable de brider les exactions et les concussions, défenseur de la justice. « Qui dit pouvoir dit force ». Aussi condamnait-il le suffrage universel : « Qui vote discute. Les pouvoirs discutés n'existent pas ». On ne convertit pas les masses par des discussions individuelles. « Les prolétaires me semblent les mineurs d'une nation et doivent toujours rester en tutelle..., c'est une chose juste et nécessaire ». Il y a opposition de nature entre les masses et la loi qui souvent contrarie les intérêts de l'individu. Une assem-

blée flattera celui-ci au dépens de celle-là, le bien public
en souffrira. Le pouvoir étant répressif de sa nature a
besoin d'une grande concentration pour opposer une
résistance égale au mouvement populaire. Balzac considérait le parlementarisme comme néfaste ; il en a fait
une critique serrée : une assemblée délibère alors qu'il
faut agir. « Le pouvoir, la loi doivent donc être l'œuvre
d'un seul ». L'irresponsabilité effective des ministres
excite les ambitions des médiocrités.

L'égalité est une chimère nullement fondée dans la
nature des choses ; c'est tout le contraire pour l'ordre
des supériorités sociales : « supériorité de pensée, supériorité politique, supériorité de fortune » : « l'art, le pouvoir, l'argent ou autrement : le principe, le moyen, le
résultat ». Cependant, il est nécessaire que le peuple ait
des mandataires pour accorder ou refuser des impôts ;
que les intelligences d'élite, douées d'une forte volonté,
puissent surgir de la foule et soient pourvues de moyens
pour recevoir une formation supérieure et accéder aux
échelons élevés de la société et du pouvoir. Il faut distinguer entre « la liberté » et « les libertés définies et carac-
térisées » ; celle-là est une utopie malfaisante, celles-ci
sont des réalités bienfaisantes. La Religion seule peut
établir l'équilibre entre la suprême puissance et la masse
souffrante et laborieuse, en maintenant la première dans
les bornes de la justice, en commandant à la seconde une
entière résignation, puis aux riches, la charité. A l'individualisme issu de la Révolution, doit se substituer
le culte de la famille, vraie cellule sociale. Balzac ne tolère
pas la liberté de la presse, regrette la pairie et le droit
d'aînesse, et le partage égal des biens entre les enfants ;
il vitupère le Code Civil.

Telles sont en bref les théories politiques de Balzac.
Ces idées découlaient de l'enseignement qu'il avait puisé
dans les œuvres de Joseph de Maistre et de Bonald,
« ces deux aigles penseurs », qu'il avait adoptés pour
maîtres, « de bonne heure » et par choix très délibéré.
« J'ai longtemps et profondément médité sur la construc-

tion des sociétés », écrivait-il à son amie Mme Zulma Carraud, fin juin 1830. « Je ne pense pas d'aujourd'hui, avec Hobbes, Montesquieu, Mirabeau, Napoléon, J.-J. Rousseau, Locke et Richelieu... » Il disait que « si le bien-être des masses doit être la pensée intime de la politique, l'absolutisme ou la plus grande somme de pouvoir possible, de quelque nom qu'on l'appelle, est le meilleur moyen d'atteindre ce grand but de la sociabilité » (*Le Départ*, 1832). Ces conceptions politiques ne s'identifient pas complètement avec la théorie traditionnelle de la Monarchie française : il entrait du césarisme dans le portrait qu'il trace du chef de l'Etat. On trouvera ces opinions nettement exposées dans *Le Médecin de Campagne* par le Docteur Bénassis, dans *Le Curé de Village, L'Envers de l'Histoire Contemporaine* ; d'autres romans, des articles, des lettres éclairent et renforcent ces convictions.

Sur bien des points, les prévisions politiques de Balzac se sont réalisées : la chute de la Monarchie de Juillet, l'avènement de la Démocratie, du Socialisme et du Communisme. Il les expliquait par l'inaction égoïste de la bourgeoisie, sa passion d'enrichissement aux dépens de la justice sociale, l'aveuglement du gouvernement sur l'irritation du prolétariat. Il stigmatisait « les misères affreuses sur lesquelles repose la civilisation parisienne ». *La Comédie Humaine* abonde en portraits de nobles indignes, de bourgeois ignobles, de prêtres intrigants et captateurs : cette galerie ne s'inscrit pas contre la sincérité politique de son créateur.

On a souvent répété le jugement de Taine, (cf. la fin de son étude sur Balzac), dans ses *Nouveaux Essais de Critique et d'Histoire* : « C'est Saint-Simon peuple ». On peut lire dans l'*Etude littéraire et philosophique sur la Comédie Humaine*, par M. Marcel Barrière, un parallèle entre le Mémorialiste du XVIIe siècle et le romancier du XIXe, peintre des mœurs : « Ils ont été tous deux en France pour les vices et les excès de pouvoir de leur siècle, impitoyables comme Dante et en même temps aussi comiques que Molière. Ils ont ainsi rempli le même rôle de justiciers. ...Les puissantes railleries de Balzac et de Saint-Simon sur les ridicules et les abus de leur époque ont produit le même résultat » que les verdicts de Tacite sur les hommes au pouvoir de l'ancienne Rome. Ces verdicts « pèsent lourdement sur leur mémoire ».

Est-ce à dire que nous devions souscrire à la parole de Victor Hugo dans son discours prononcé sur la tombe de Balzac, et ranger celui-ci « dans la forte race des écrivains révolutionnaires ? » L'idée a fait fortune. « La grande accusation sociale retentit à travers *La Comédie Humaine* » : son auteur montre les dessous, les rouages, les forces souterraines, les coulisses, les intérêts de son époque ; « l'ascension au pouvoir de la classe bourgeoise avec son puissant développement industriel et commercial, le mouvement de l'aristocratie vers la bourgeoisie triomphante, la pénétration, la transformation d'une couche sociale par une autre, produite par d'autres conditions d'existence, l'instauration d'une classe nouvelle, bouleversant les formes anciennes de vie, apportant les siennes dans tous les domaines ». Ainsi parle Mme Marie Bor, dans *Balzac contre Balzac (Les Cahiers de l'Eglantine)*. Dans *Le Père Goriot*, nous entendons le violent réquisitoire du forçat Vautrin contre l'éthique sociale. Il enseigne au jeune Eugène de Rastignac « la révolte contre les conventions humaines ». Pour réussir, il faut se mettre au-dessus des lois dont « pas un article n'arrive à l'absurde » ; il faut mépriser les hommes, se servir d'eux comme des moyens de parvenir. Il faut « voir les mailles par où l'on peut passer à travers les réseaux du Code ». Blondet dira de même : « Les lois sont les toiles d'araignées à travers lesquelles passent les grosses mouches et où restent les petites » *(La Maison Nucingen)*. Il s'agit des affairistes comme du Tillet et Finot, des banquiers comme Nucingen, des usuriers comme Gobseck. Toutes les convenances, toutes les règles s'anéantirent quand Rastignac eût compris la leçon de Vautrin : « Il vit le monde comme il est, les lois et la morale impuissantes chez les riches, et vit dans la fortune l'*ultima ratio mundi* ». Il convertira l'amour en instrument de fortune. Ses scrupules d'honneur et d'honnêteté ne tiendront pas devant les miroitements de l'or et du luxe qu'elle procure. Oui, « de l'or à tout prix ! » s'écrie Lucien de Rubempré, éduqué par Carlos Herrera, l'émule de Vautrin *(Jacques Collin)*. Les premiers tourments de sa conscience s'évanouissent vite, comme ceux de Rastignac, devant le veau d'or, l'idole tentatrice qu'adorent éperdus tous les ambitieux, tous les jouisseurs *(Illusions perdues)*. Ils sont légion dans *La Comédie Humaine*. L'Argent étend son sceptre sur une foule qui s'épuise dans la course à la fortune. Que de drames de famille à cause des héritages captés, des héritières convoitées, des rivalités d'intérêts pécuniaires, des corruptions, concussions ! Il n'est pas un roman qui ne reflète, et dans tous les milieux, la passion vénale, la fureur de posséder au mépris du droit et de la vertu, pour jouir, jouir encore : « L'argent donne tout, même des filles », s'écrie le père Goriot dans son agonie. Ce dernier découvre que l'amour de ses deux filles n'a jamais eu d'autre mobile que le désir de s'approprier les millions de leur père : elles ont monnayé leur sentiment ; l'argent oppose Delphine à Anastasie comme deux hyènes. L'omnipotence de l'argent régit les passions ; elle pervertit les traditions d'honneur ; remplace la raison dans la Société : « L'intelligence est le levier avec lequel on remue le monde. Mais le point d'appui de l'intelligence est l'argent ».

Si nous voulons être renseignés sur le rôle des banques et des usuriers sous la Restauration et le règne de Louis-Philippe, *Eugénie Grandet*, *La Maison Nucingen*, *César Birotteau*, nous montreront les collusions des Nucingen, des Keller, des du Tillet, avec la politique. Gobseck et le père Grandet représentent la passion de l'or : elle obnu-

bile le sens moral, éteint tous les grands sentiments.
Balzac y consacrera une comédie, *Mercadet*. C'est le nom
du héros principal, un coupe-bourse, autour duquel
évolue toute une bande de fripons, d'aigrefins, escomp-
teurs, joueurs, usuriers, naufrageurs de la société :
c'est la basse finance.

De ce qu'il ait tracé l'envers de la civilisation et de
la politique, les excès ruineux pour les honnêtes gens
auxquels se livrent de puissants banquiers, personnages
d'importance, pirates favorisés souvent par la protection
légale, peut-on conclure que Balzac soit un démo-
lisseur de l'Ordre et de la Société ? Peintre des mœurs,
historien de sa génération, il décrit toutes les formes
d'abus. Justicier, il les dénonce et les condamne. Clinicien social, il leur oppose des remèdes. Quel que fût,
quel que soit le régime en cause, les loups-cerviers de
la Finance ont les dents trop longues pour ne pas forcer
leur gibier. Le romancier n'a point tort de décrire leurs
criminelles méthodes de détroussement. Il fait œuvre
d'assainissement politique et social. Qui n'accepterait
d'être révolutionnaire à la façon de Balzac ? Dévoiler
les abus, dans tous les domaines, c'est la première condition de les réformer. La ploutocratie avait un insigne
représentant en la personne de l'aventurier du Tillet.
C'est sa femme, Eugénie de Granville, fille d'un haut
magistrat et pair de France, que Balzac a chargé de caractériser les faits et gestes de son mari. « Les assassinats sur
la grande route me semblent des actes de charité comparés
à certaines combinaisons financières » *(Une Fille d'Eve)*.
Ce dernier était convaincu qu'un monarque absolu était
seul capable de protéger le peuple, considéré comme une
proie facile, une pâture abondante, par les profiteurs des
deniers publics et privés.

Telle est la conclusion de *La Maison Nucingen*. Deux
banqueroutes frauduleuses permettent au banquier
Nucingen de fonder une immense fortune. Il ruine une
foule de gens ayant amassé des économies par un dur
travail. Il accumule des capitaux par des spéculations

malhonnêtes, mais trouve le moyen de déjouer les lois. Aussi, Blondet dit qu'il faut en venir « au pouvoir absolu, le seul où les entreprises de l'Esprit contre la Loi puissent être réprimées. Oui l'arbitraire sauve les peuples en venant au secours de la justice, car le droit de grâce n'a pas d'envers. Le roi [constitutionnel] qui peut grâcier le banqueroutier frauduleux ne rend rien à la victime dépouillée. La légalité tue la société moderne ». Et Camille Bellessort d'alléguer ici le dénouement de *Tartuffe*. La légalité mettrait Orgon hors de chez lui. Mais le monarque absolu, « d'un souverain pouvoir », brise le contrat qui dépouillait la victime, de tous ses biens, en faveur de l'imposteur. Il rend toute sa fortune à Orgon et fait emprisonner le traître.

Balzac persévéra-t-il jusqu'au bout dans ses opinions monarchiques ? Alexandre Weil raconte dans ses *Souvenirs*, une conversation qui eut lieu à sa table, entre Balzac, Eugène Süe et Henri Heine, dans l'été de 1847. « La discussion est très vive ». Balzac expose en termes énergiques aux convives, ses principes anti-républicains, anti-socialistes, anti-communistes. N'empêche que le 20 avril 1848, il écrit aux *Débats*, une lettre qui sera sa profession de foi politique. C'est une réponse aux clubs qui l'avaient sommé de venir s'expliquer. « Depuis 1789 jusqu'en 1848, la France, ou Paris, si vous voulez, a changé tous les quinze ans la constitution de son gouvernement ; n'est-il pas temps, pour l'honneur de notre pays, de trouver, de fonder une forme, un empire, une domination durables, afin que notre propriété, notre commerce, le crédit, la gloire, enfin toutes les fortunes de la France, ne soient pas mises périodiquement en question ?... Que la nouvelle République soit puissante et sage, car il nous faut un gouvernement qui signe un bail plus long que quinze ou dix-huit ans, au seul gré du bailleur ! Voilà mon désir, et il équivaut à toutes les professions de foi (1) ».

Les élections ont lieu le 29 avril pour l'Assemblée constituante, Balzac n'obtient qu'une vingtaine de voix. « Mes opinions sur le pouvoir, *que je veux fort jusqu'à l'absolutisme*, (souligné par nous) m'éloignait de toute chance pour l'Assemblée, écrivait-il à Mme Hanska, le 30 avril, et ma lettre devait me concilier peu de suffrages, par la bourgeoisie inhabile qui court. Ainsi je savais que je ne serais pas de l'Assemblée où ils ont mis un chansonnier, Béranger, et cinq ouvriers ! Non, c'est à pleurer ». En somme, Balzac n'a pas varié dans ses opinions politiques. Son ralliement à la forme républicaine du gouvernement n'était que provisoire : il eût été de l'opposition, en espérant des jours meilleurs. Selon la boutade d'Henri Heine qui avait clos la discussion chez Alexandre Weil, Balzac voyait la solution du problème dans une République gouvernée par des monarchistes. Un rapprochement de textes en fait foi et il est piquant. Les termes par lesquels Balzac déplorait le départ de Charles X en exil *(Le Départ, 1832)* et la fin de la monarchie légitime, sont identiquement ceux par lesquels il se rallierait à la République, si elle voulait protéger et favoriser « tout ce qui fait une nation grande et prospère » ; les arts et les artistes, le commerce qui vit des uns et des autres, leur gloire, la propriété, les fortunes acquises.

(1) M. H. J. HUNT, dans *le Socialisme et le Romantisme en France, Etude de la Presse Socialiste de 1830 à 1848* (Oxford, At the Clarendon Press, 1935), p. 215, contredit les conclusions de Miss Norah Atkinson, qui, dans *Eugène Süe et le roman feuilleton*, 1929, affirmait que les idées de Balzac étaient « nettement socialistes ».

TROISIÈME PARTIE

TECHNIQUE

—

CHAPITRE I

LA STRUCTURE DES CARACTÈRES

En 1842, Balzac fit paraître chez Furne, la première édition de ses Œuvres Complètes sous le titre de *Comédie Humaine*. On croirait volontiers qu'il lui avait été suggéré, au début de 1835, par un jeune anglais, Henry Reeve, auquel il avait exposé le plan de son futur ouvrage. « Si Balzac a besoin d'un titre pour ce grand travail, qui, lit-on dans les *Memoirs and Correspondance* de celui-là, doit atteindre quarante grands in-octavo, je me permettrai de suggérer la parodie de la *Divine Comédie* de Dante car cette moderne « commedia » est *tutta diabolica* — la Diabolique Comédie du sieur de Balzac ». D'après Ferdinand de Gramont, un ami de Balzac, ce fut Auguste de Belloy, autre ami et secrétaire bénévole du grand écrivain, qui, revenant d'Italie en 1841, tout imprégné d'admiration pour la *Divine Comédie*, proposa ce titre général de *Comédie Humaine*, par opposition à la trilogie de Dante.

D'après l'*Avant-Propos*, « l'idée première » de ce qui ferait de son œuvre un tout organique, avait hanté de bonne heure le cerveau de Balzac, « comme un rêve, comme un de ces projets impossibles que l'on caresse et qu'on laisse s'envoler : une chimère qui sourit, qui montre son visage de femme et qui déploie aussitôt ses ailes en remontant dans un ciel fantastique ». Elle sortit d'une comparaison entre l'Humanité et l'Animalité créées d'après *l'unité de composition*. Cette constatation, érigée en principe, avait occupé en même temps des savants et des théosophes. Se piquant d'être l'un et l'autre, Balzac s'intéressait à la question ; il en avait suivi les débats, où s'étaient querellés Cuvier et Geoffroy Saint-Hilaire ; il avait étudié sur ce sujet Swedenborg, Saint-Martin, Baader. Quelle que soit sa valeur, ce principe, conjoint à la mise en œuvre des systèmes de Gall et de Lavater, apportait au romancier des ressources immenses pour le développement de ses caractères, d'après la loi des espèces conformes aux milieux où elles évoluent. Il féconda le génie inventif du créateur. Mieux encore, il permit à l'observateur d'ordonner sous une grande pensée des richesses débordantes, sans cesse accrues par une insatiable curiosité de la vie et du document. Dans ce sens, on peut dire que là se trouve la formule génératrice et unificatrice de *La Comédie Humaine*. Elle traduit la disposition foncière d'un tempérament systématique d'instinct, que ne peut contenter l'analyse si détaillée soit-elle. « Il ne suffit pas d'être un homme, disait-il, il faut être un système ».

La révélation se produisit quand selon l'heureuse expression de Félix Davin, le porte-parole de Balzac, dans son *Introduction aux Etudes Philosophiques* (1835), l'auteur eut *dégagé* « de ses nombreux aperçus sur l'humanité » le sens intime de la formule générale qui le guidait dans « cette élaboration progressive d'une idée d'abord indécise en apparence ». C'était de faire du roman « l'histoire des mœurs », la « grande histoire de l'homme et de la Société », dessein qu'affirmait le même Davin en 1834, et que Balzac devait énoncer dans cette formule de l'*Avant-Propos* de 1842 : « La Société française allait être l'historien, je ne devais être que le secrétaire ». La fonction qu'il se donnait consisterait à exprimer chacune des faces du monde social en des tableaux dont l'ensemble concerté offrirait, comme dans un vaste diorama, la gigantesque perspective de la Société humaine.

On sait, pour le lui avoir entendu répéter fréquemment, tout ce que son art doit à celui de Walter Scott. Il est bien établi que le romancier anglais fut son modèle dès les premiers essais : ses œuvres de jeunesse, *L'Héritière de Birague*, *Clotilde de Lusignan*, puis plus tard *Le Dernier Chouan* gardent plus d'une empreinte où se reconnaît la touche de l'initiateur. A mesure que s'enrichissent et se développent ses expériences techniques, il pénètre plus avant dans les secrets poétiques et constructifs de l'Ecossais, peintre autant que créateur de personnages dramatiques. Ce dernier, représentant les types sociaux d'une période historique, la ranime aussi bien par le costume et les attitudes des figurants, par le décor antique où ils agissent, que par les sentiments et par les dialogues scéniques. Balzac fait cette remarque dans l'*Avant-Propos* : savoir que les tableaux de Walter Scott se rapportent à des époques différentes, que rien ne les relie entre eux. Leur auteur manquait de la puissance coordinatrice qui assignât un but à son effort artistique. Balzac ne veut pas de cette lacune dans son œuvre à lui : au lieu de choisir ses sujets dans l'histoire, il les prendra dans le présent ; il observera ce qui se passe sous ses yeux et dans toutes les zones. Il sera le « nomenclateur » et l'annaliste de son époque. En bon archéologue, il décrira toutes les pièces du « mobilier social ». Il décrira tous les types du drame. Il scrutera tous les jeux de la physionomie pour pénétrer jusqu'au vif de l'être, en surprendre tous les mobiles secrets et passionnels. C'est donc toute la société en raccourci, un microcosme, qui se présentera devant le regard des lecteurs. On leur offrira des échantillons prélevés sur tous les terrains, reproduits dans toutes leurs particularités. En même temps qu'ils contempleront les effets, on leur en exposera les causes. Balzac ira plus loin encore et plus haut : moraliste, il jugera les individus et les groupes sociaux en montrant

de quels dangers réels ils sont menacés, quand ils s'écartent
des principes éternels qui doivent régir les mœurs.

Parallèlement à la veine historique dont Walter Scott
avait été pour lui le découvreur, le jeune débutant en
exploite une autre qui lui a été révélée par son flair,
comme par un don naturel : l'imitation n'y a nulle part.
Il s'élance déjà dans ce qui sera la mine inépuisable et
la richesse de son œuvre : c'est l'observation des mœurs
contemporaines, que nous l'entendrons un jour proclamer
comme la source principale de son inspiration. Elle est
la Muse, lui, son humble scripteur. Nous en avons signalé
les indices à propos des *Romans de Jeunesse* et du *Code
des Gens honnêtes* : traits de mœurs, portraits, personnages, décors, scènes vécues. Dans tout cela se retrouve
l'ambiance authentique du jeune Honoré. Ainsi se manifeste un goût de plus en plus marqué pour le document
pris sur le vif, pour les détails extérieurs qui caractérisent
une époque et ses modes, et par-là même en conservent
la date. Contentons-nous d'indiquer dans *Argow-le-Pirate*
la peinture de la famille Gérard, et dans *Wann-Chlore*,
le portrait de Mᵐᵉ d'Arneuse : il est facile d'y reconnaître
les modèles empruntés à la famille Balzac-Sallambier.
Le débutant tâtonne à la recherche d'un procédé dont
il devine confusément la valeur. On dirait d'un peintre,
répétant des esquisses, crayonnant des attitudes et des
physionomies pour une grande composition. Quand on a
suivi ces préparations inconscientes, on n'est pas étonné
de les voir aboutir dans les *Scènes de la Vie Privée* (1830),
à un tableau d'ensemble. Peu à peu, l'artiste s'est assuré
du bon rendement de sa technique, il a inventé son
genre, il a trouvé ses formules. L'une d'elles englobera
les autres : mettre en relief les personnages représentatifs
de son époque et « incarnant fortement » les catégories sociales qu'il observe. Un marchand drapier,
M. Guillaume ; un artiste-peintre, Théodore de Sommervieux ; un grand seigneur, le comte de Fontaine ;
un grand magistrat, le comte de Granville ; une grande
dame du Faubourg Saint-Germain en plusieurs modèles,

etc., sont des types individualisés, croqués de la sorte dans leurs gestes, leur mise, leurs tics, leur cadre. Les graveurs du temps illustraient ainsi les livraisons de *La Mode* : Balzac se fait l'historien des choses et des hommes après les avoir curieusement explorés : ses yeux captent avec soin ce qui échappe à d'autres, moins fureteurs ou moins furtifs. « Ces femmes, dira la petite Louise de Chaulieu en parlant de sa tante, la Princesse de Vaurémont, emportent avec elles certains secrets qui peignent leur époque ». Il s'agit en l'occurrence de « l'inimitable mouvement qu'elle donnait à ses jupes en se plongeant dans sa bergère. Elle avait aussi certains airs de tête, une manière de jeter ses mots, ses regards... »

Un beau matin de 1833, une idée quittant enfin sa forme larvée, jaillit lumineuse. Balzac la vit si belle, si grosse de promesses pour le développement fabuleux de son œuvre à venir, même pour le perfectionnement de son œuvre passée, qu'il fut impatient de faire partager son émotion et sa joie. Il se précipite chez sa sœur Laure Surville, sa confidente de toujours, qui doit l'écouter séance tenante : « Je serai un homme de génie », lui crie-t-il. Ses tâtonnements avaient opéré leur trouée. Il venait de découvrir enfin le mécanisme qui assurerait le mouvement universel et vital de toute *La Comédie Humaine* : c'était le retour systématique des mêmes personnages à travers tous les romans. Bien qu'on puisse en constater auparavant quelques très rares et timides essais, c'est dans *Le Père Goriot*, qu'il fut appliqué pour la première fois, en septembre 1834. C'était une trouvaille sans pareille. Sainte-Beuve manquant pour une fois de jugement et de perspicacité, la railla dans une chronique de la *Revue des Deux Mondes*, 1er novembre 1838, la traitant d' « idée fausse et contraire au mystère qui s'attache toujours au roman ». Que d'effets son inventeur a su tirer de cet admirable mécanisme ! Quand un

personnage déjà connu intervient dans un roman, il
est riche de tout un passé : il complique l'intrigue de toutes
les ressources, de toutes les puissances dont son caractère
a fait preuve ailleurs. Sous peine de manquer de logique,
sous peine d'offenser la réalité, le romancier doit tenir
compte de ces événements antérieurs pour maintenir le
héros dans la ligne de son tempérament et de ses comportements. Avant tout il doit les avoir déjà simultanément
rassemblés dans sa mémoire et présents à l'esprit. Quelle
grandiose faculté cela suppose quand on songe à cette
foule — plus de deux mille personnages ! Balzac conce-
vait un orgueil de cette fécondité, monstruosité nécessaire qu'il osait comparer à la puissance divine. « Créer,
toujours créer ! Dieu n'a créé que pendant six jours ! »
confiait-il à Mme Hanska. Son imagination débordante
allait être contenue par ce procédé. Il ne serait plus nécessaire de multiplier les aventures, d'exposer les antécédents, de préparer les incidents, de motiver les coups du
sort : une apparition toute seule y suffirait. Chaque personnage entrant en scène, se présente devant nous comme
une vieille connaissance, oserons-nous dire, dont nous
pouvons augurer le destin. Marsay, Trailles, Tillet,
Vautrin, Rastignac, Nucingen, et tous les autres ! l'un
de ceux-là n'a qu'à se mêler à l'action romanesque et
nous attendons l'audace nouvelle dont il est capable.
Nous sommes attendris quand se montrent Mme de Beauséant, la comtesse d'Aiglemont ; leurs malheurs nous
ont déjà touchés. L'un ou l'autre des personnages balzaciens n'a qu'à paraître, lancer un mot, faire un geste,
nos souvenirs se réveillent. Nous voici attentifs. L'intérêt de l'intrigue se double de notre participation, qui
rentre dans des combinaisons sous-jacentes entrevues
ailleurs. Quelles ressources cette permanence dramatique
mettait à la disposition du talent !

Nous devons aux pages de très pénétrante analyse
que M. Maurice Bardèche consacre, dans *Balzac romancier,*
à cet enrichissement artistique, d'en mieux comprendre
et la profondeur et la portée. « Balzac crée de toutes pièces

une sorte de perspective romanesque par des procédés qui lui sont propres, en donnant un lendemain ou une présence continue aux histoires qu'il raconte et en faisant de ses personnages imaginaires des personnages qui nous appartiennent aussi bien qu'à lui et dont nous devenons les témoins ». Et encore : « Il a donné une importance positive aux périodes pendant lesquelles son personnage n'apparaît pas. Des omissions calculées, des périodes d'obscurité ou d'absence lui servent ensuite à opposer avec plus de relief deux profils choisis à des moments différents ». L'image de ces personnages s'accuse, se dégage pleinement au fur et à mesure que le destin d'un chacun sculpte, sur le visage ou dans la silhouette, à coups de misères, de grandeurs, de vertus, de crimes, ou simplement de bourgeoises niaiseries, les stigmates vulgaires ou les traits de noblesse. Ainsi cette juxtaposition de plusieurs portraits forme du même personnage, « pris à des époques différentes, « une image virtuelle » qui n'existe dans aucun des portraits particuliers et qui est la véritable image du personnage ». Cette technique nouvelle, poursuit M. Maurice Bardèche, « permettait à Balzac de donner à chaque personnage, non plus une image unique et éphémère, mais une image véritable et vivante à travers toute son œuvre. Il venait d'inventer ce qui n'a été retrouvé depuis que par Marcel Proust, la « troisième dimension » des personnages imaginaires ».

Les balzaciens connaissent bien le *Répertoire de la Comédie Humaine* par Cerfberr et Christophe. Cet ouvrage, vrai registre, reproduit par ordre alphabétique une fiche bio-bibliographique pour chacun des deux mille personnages, d'après les romans où chacun d'eux passe et repasse. Les dates, les détails brièvement circonstanciés confèrent au *curriculum vitae* l'allure d'une destinée qui efface par des pièces probantes l'idée de fiction, y substitue une valeur historique. En maniant ces documents, on se remémore la carrière du figurant qui nous intéresse, on parcourt les zones sociales où il évolua. On note

également les caractères généraux de l'homme universel
qui persistent, transparaissent sous toutes les apparences
accidentelles, diversifiées par les milieux.

Mais un balzacien s'attache davantage à ce qui reste
pour lui la seule humanité. A partir du jour où les proportions de son œuvre, anticipant sur ses efforts, dressent
devant Balzac l'immense tableau de *la Civilisation Française au XIXᵉ siècle*, il ne s'agit plus pour lui de composer un roman et puis un autre roman, mais de lancer
dans les espaces une planète nouvelle, un autre monde
dont il sera le Père, qu'il dotera d'une force dilatante.
Il s'inspirera, bien sûr, des mœurs et des coutumes
qui se pratiquent sur la Terre. Non seulement il rêve
de « faire concurrence à l'état civil », mais au système planétaire tout entier, si bien qu'on peut formuler
les principales lois, même organiques, qui règlent la
marche de l'univers balzacien, en régissent les différents
règnes. Une telle pensée, substance de l'œuvre tout
entière, ne peut se circonscrire, elle s'élargit avec elle
suivant le principe de Spinoza, puisque la carrière de
chaque être traduit la force agissante de la substance
mère. L'on ne s'étonne plus que la réalité romanesque
pose un écran devant les réalités authentiques et qu'elle
absorbe toute la vitalité du créateur. Il est absent de tout
ce qui est contingent à son œuvre, de tout ce qui pour
les autres est le plus nécessaire et le plus solide. Lui,
en estime la présence importune car elle dérange le plan
de sa création. Il la repousse. Qu'on se rappelle cette
interruption brusquement adressée à Sandeau ren-
trant de voir son père dangereusement malade : « Tout
cela est bel et bien ! Mais revenons à la réalité. Qui
va épouser Eugénie Grandet ? » D'autres mots
témoignent de cet absolu. Le plus significatif et le plus
émouvant, n'est-ce pas le suprême appel que Balzac,
en sa souveraine illusion, lançait, mourant, vers Bianchon, le célèbre médecin qu'il avait fait venir comme
un ultime espoir de salut au chevet de tant de malades
désespérés.

Dès qu'il l'a découvert, le romancier exploite à fond le procédé. Dans la réédition de plusieurs romans, et surtout dans la réédition générale de *La Comédie Humaine*, il n'hésite pas à changer les noms de nombreux personnages qui figuraient dans les œuvres antérieures au *Père Goriot*, par exemple dans *Les Chouans, Eugénie Grandet, Madame Firmiani*. Constamment préoccupé de renforcer le caractère original du monde qu'il façonne, il multiplie le retour de ses figurants. « C'est un utile réservoir de comparses », selon l'heureuse formule de M. Maurice Bardèche. Quelle utilité de les avoir sous la main, toujours disponibles, toujours prêts à agir, tous capables de se jeter au travers de l'intrigue, pour la dénouer ou la faire rebondir ! A force de les voir, de les entendre, nous sommes obsédés de leur présence ; leurs noms prennent un sens définitif, équivalent à l'allégorie du vice, de la passion, de la vertu, représentés en demi-teintes, en tons dégradés ou renforcés. L'avarice de Maître Cornélius, de Gobseck, n'est pas celle du père Grandet ni de M. Hochon, l'amour ingénu d'Ursule Mirouët n'est pas celui de Pierrette Lorrain, pas plus que la débauche crapuleuse de Philippe Bridau ne ressemble à la sénile déliquescence du Baron Hulot. Remarquons en passant que la description psychologique n'aboutit pas chez Balzac à une schématisation excessive ; au contraire, elle laisse aux individualités un cachet très personnel, fait de nuances infinies : c'est ce qui rend si vivants des types similaires. Son œuvre comme le monde réel, renferme des échantillons les plus divers dans une même catégorie.

* * *

Afin de vérifier les observations précédentes choisissons un caractère des plus simples, dont la conscience est tout d'une pièce, sans arrière-plan : l'abbé Birotteau, personnage principal du *Curé de Tours* (1832). Ce prêtre est le *type individualisé* de l'égoïsme, tel que le façonne la contrainte psychophysiologique du célibat ecclésiastique, aboutissant aux déviations du tempérament : recherches méticuleuses et raffinées du bien-être matériel, petitesses ridicules, ambitions puériles. Il s'acquitte de son ministère avec la ponctualité d'un fonctionnaire. Il est le confesseur attitré des pensionnats ; cette clientèle ne lui réserve pas de cas embrouillés et compliqués. Il est dévoré, pour le canonicat, d'un désir qui causera sa perte, même sa mort, après l'avoir abreuvé de malheurs dans sa personne et dans ses biens. La crise ne dure que quelques mois. Il ne faut en chercher les motifs profonds que d'après la théorie psychophysiologique longuement exposée ; les antécédents de l'homme n'y ont aucune part ; ils sont indiqués par une brève allusion à ses origines paysannes et à sa pauvreté. Trois ans plus tard, Balzac pousse à nouveau le vicaire sur la scène du *Lys dans la Vallée* (1835) pour lui confier la conscience de Mme de Mortsauf. Le choix de la châtelaine est réfléchi. Elle trouvait son précédent confesseur, « vertueux », mais « rude, austère, sévère ». Elle sait, de bonne source, l'abbé Birotteau, totalement incapable, dénué de toute perspicacité. N'entend-elle pas ses amis, Mme de Listomère, surtout M. de Bourbonne, ancien mousquetaire, vieux roué de célibataire, railler souvent mais sans méchanceté, les niaiseries de « notre cher Birotteau ». Avec « cet ange de douceur qui s'attendrit au lieu de réprimander », comme dit la pénitente, elle est sûre de n'être point acculée à des décisions catégoriques. C'est elle qui gouvernera ce velléitaire, ce débonnaire, et l'amènera à suivre ses propres désirs. Comment pourrait-il dicter une ligne de conduite aux autres, lui, qui pour son propre salut, même dans les choses terrestres, demeure hébété devant la moindre difficulté ? Quelle ironie voilée sous les éloges onctueux dont Balzac affuble « l'abbé Birotteau, « l'un de ces hommes que Dieu a marqués comme siens, en les revêtant de douceur, de simplicité, en leur accordant la patience et la miséricorde » ! Au point où elles sont poussées, ces qualités confinent à la bêtise. Il n'est pas surprenant que la philothée juge un tel homme inaccessible aux sublimes croyances du martinisme ; elle lui cache les siennes, et cette dissimulation ouvre une perspective sur le peu d'autorité qu'elle reconnaît à son directeur. Elle ne sera pas contrainte par lui dans les extravagances sentimentales que son culte illuministe autorise.

En faisant intervenir l'abbé Birotteau dans l'intrigue du *Lys dans la Vallée*, Balzac recourait à l'emploi d'une *utilité dramatique*. Une situation que nous avons jugée déjà paradoxale du point de vue chrétien ne pouvait s'établir que par l'ineptie de ce prêtre. Reconstruisons d'après sa psychologie la genèse d'un caractère. Tout d'abord une idée surgit dans la conscience du romancier. Comme dans le cas présent, elle se rattache souvent à une théorie : c'est ici le célibat considéré comme la cause physiologique de l'imbécillité. Synthétisant un cas psychologique, elle est formulée en deux ou trois lignes, comme on le voit dans *Pensées, Sujets, Fragmens*, ou dans la *Correspondance*. Personnalisant cette idée, un fantôme prend consistance : traits, physionomie, gestes, milieu, décor, scènes, se combinent autour du concept primitif. Le type est formé, l'idée individualisée. Il conviendrait aussi d'en montrer par des exemples la force attractive et agrégative sur d'autres caractères, indispensables pour mettre en lumière certains aspects du personnage principal. Ainsi, le rôle de M. de Bourbonne dans *Le Curé de Tours* amène Balzac à le doter du caractère de M. de Rouxellay de Valesnes, qui figurait dans *Madame Firmiani*, et finalement à rayer le premier nom pour le second : l'interaction des figurants conduit le romancier.

Il a peint, dans *Le Curé de Tours*, l'abbé Birotteau parvenu à la dernière année de sa vie. Deux ans plus tard, il lui faut pour corser le dénouement du *Lys dans la Vallée* et rendre plus pathétique l'agonie d'Henriette, recourir au vicaire dont la personnalité faible s'adapte admirablement à la situation, et fait partie du petit cercle tourangeau mis en scène. Nous revenons quelques années

en arrière. Il ne faut pas dire, comme quelques-uns, que le
prêtre est ressuscité. Les événements du *Lys* se passent
quatre ans avant sa mort ; les incidents qui le mettent en
évidence s'allongent par un mouvement *rectiligne*, vers
des circonstances nouvelles ; le personnage prend un
relief plus accusé sans qu'interviennent pour cela des
causes autres que celles déjà connues. C'est ainsi que va
le train du monde : très souvent nous apprenons, après
la mort des gens, des histoires antérieures à celle-ci.
Pourquoi reprocher à Balzac ce réalisme ? Remarque
essentielle : entre les faits saillants du roman, et les observations, les allusions parfois fugitives ou futiles ayant
trait aux faits publics, le synchronisme est parfaitement
établi dans *Le Curé de Tours, Le Lys dans la Vallée*, l'*Histoire de la Grandeur et de la Décadence de César Birotteau*
où, pour la troisième fois, le vicaire va faire sa rentrée
sur la scène. Cette exactitude défie le contrôle le plus
minutieux du calendrier et des éphémérides historiques.
Il est presque impossible de prendre le romancier en défaut
sur ce point.

Dès 1831 ou 1832, c'est-à-dire conjointement au *Curé
de Tours*, Balzac, si l'on en croit une lettre à Mme Hanska,
songeait déjà à l'*Histoire de la Grandeur et de la Décadence
de César Birotteau*. Il écrivait, le 11 octobre 1846, à Hippolyte Castille : « J'ai conservé *César Birotteau* pendant
six ans à l'état d'ébauche, en désespérant de pouvoir
jamais intéresser qui que ce soit à la figure d'un bouti-
quier assez bête, assez médiocre, dont les infortunes
sont vulgaires, symbolisant ce dont nous nous moquons
beaucoup, *le petit commerce parisien*... Dans un jour de
bonheur, je me suis dit : Il faut le transfigurer, en faisant l'image de la probité... Et il m'a paru possible. »
Il l'avait déjà qualifié : « C'est Socrate bête, buvant dans
l'ombre et goutte à goutte sa ciguë ». Trois idées dominent
la conception de ce caractère : bêtise d'abord, puis honnêteté méconnue, enfin mépris qui résulte de l'impuissance morale. Ces trois traits avaient déjà marqué la
physionomie de l'abbé François Birotteau dans le précé-

dent roman. Bien que cette ressemblance ne soit pas toujours la conséquence infaillible d'un même atavisme, l'observation vulgaire la lui attribue volontiers. En vertu de ce principe, Balzac, très féru de l'enchaînement des causes et des effets, pensa tout de suite à donner comme frère, au vicaire, le parfumeur. Au seul nom de Birotteau, l'imagination serait mise en branle chez les lecteurs du *Curé de Tours* ; ils se reconnaîtraient dans l'atmosphère et naturelle et sociale qui les envelopperait à nouveau. Par elle, Balzac fut conduit en bonne logique à reprendre dans la mine obscure un filon non exploité : l'origine paysanne des deux frères, leur éducation d'orphelins, protégés par une duchesse qui intéressera les grandes dames, ses amies, à l'avenir de deux enfants.

Le romancier comprit, plus tard, que l'apothéose de la bêtise qu'il décerne au vicaire, ne se justifiait point par le marasme du célibat. Un tel mystère équivalait à une tare congénitale : ce complexe psychophysiologique devait revêtir sa ressemblance dans l'économie de la nature. Les théories aventurées et quelque peu prétentieuses échafaudées dans *Le Curé de Tours* contredisaient celles qui avaient été émises dans la *Physiologie du Mariage* et devaient se renouveler dans *La Cousine Bette* d'après un texte jánséniste. La propension du vicaire au bien-être devint tout simplement dans *César Birotteau* une affaire de tempérament plastique et d'éducation. Que ses théories antérieures soient mises en déroute, Balzac n'en a cure. Il n'en a plus besoin quand il raconte l'origine des deux frères : François et César se ressemblent, comme il se doit, comme deux frères d'un bon sang. Leur psychologie s'est développée en droite ligne, dans la logique et l'attendu, parce que leur créateur avait posé dès le commencement les principes d'où découlent nécessairement les comportements de ses personnages : « L'homme est donné, avec son caractère fixé, et ses actes suivent son caractère ». Cette remarque d'Albert Thibaudet concerne non seulement Goriot, mais encore Birotteau, la cousine Bette, la plupart des personnages

balzaciens. L'absence de romanesque psychologique,
l'immuabilité des caractères permettent au lecteur de
prévoir dans quelle direction leur destin pousse ces
créatures : elles accomplissent les actions qu'on attend
d'elles, elles éprouvent les sentiments que réclame leur
situation, parce que les unes et les autres sont comman-
dées par des conditions établies une fois pour toutes.
La nature de ces causes profondes ne peut être changée
en cours de route. Ces types et ces portraits relèvent
de la tradition classique, et particulièrement des mora-
listes français qui, par leurs analyses de caractères fixés,
projettent dans l'abstrait, hors du réel, les images mêmes
de la vie. Mais, par sa force descriptive, ce grand visionnaire crée dans ces abstraits un foyer d'irradiations ;
son art est empêché de verser dans la monotonie, malgré
la rigueur des lois scientifiques supposées qui régissent,
relient ces séries d'effets. On ne voit guère les personnages
balzaciens faire craquer les cadres où ils ont été précon-
çus, et démentir les préparations du sort qu'a prévues
leur créateur, et que le lecteur déduit trop facilement.

Plus forte est la personnalité, plus l'enchaînement
est rigoureux ; je songe aux Rastignac, aux Philippe
Bridau, aux Gobseck, aux de Marsay, aux du Tillet, aux
Finot, à tant d'autres, à toute la troupe des fauves ;
ils obéissent à la méthode savante du dompteur. Même
Vautrin, en accomplissant ses horribles exploits, se conforme à la loi de son organisme physico-moral et de son
milieu.

Il arrive parfois que la raideur automatique des personnages broie les données de la vie telles que les avait
imaginées leur créateur.

Lorsque César Birotteau réduit aux abois, acculé à
la faillite, commence de faire tête à la meute des créanciers, il appelle son frère à la rescousse. Dans un billet
de trois lignes dont le laconisme en dit long sur sa gêne

terrible et sa crise commerciale, il supplie le vicaire de
lui envoyer « tout l'argent dont il pourra disposer, fallût-il
en emprunter ». Le lecteur se dit que le parfumeur manque
totalement de perspicacité. Quand arrive la réponse du
prêtre, elle est telle que nous l'attendions : débordante
d'une affection fraternelle qui s'exprime en clichés d'une
banalité désespérante. Le style en est comique, vu la
situation lourde d'angoisses à laquelle cette lettre devrait
remédier. L'abbé fait preuve de sentiments touchants ;
il est prodigue de son cœur. Mais d'intelligence sur les
périls qui menacent son frère ? Point ! Il envoie ce qu'il
possède, six cents francs, plus quatre cents francs que
consent à lui prêter sa bienfaitrice, la Baronne de Listomère : ce qui fait mille francs, où il en faudrait cent fois
plus, comme César l'avait fait espérer à sa fille Césarine.
Ce prêtre est totalement démuni de sens pratique. Même
si l'on s'en tient à une estimation hasardée, comme
cela se pratique dans le courant des conversations de
la part de gens incompétents, il est incapable d'évaluer
l'importance que représente un fonds de commerce comme
celui de *la Reine des Roses*. Il aurait pu s'en rendre compte,
au cours d'un séjour qu'il avait fait chez son frère, à
Paris, deux ans auparavant. La missive brille bien
davantage par l'habileté du vrai rédacteur : elle devient
un document sur son état d'esprit, à lui, Balzac, sur son
ironie. Tissés de mots édifiants, d'encouragements sur-
naturels, les phrases consolatrices s'enveloppent d'une
apparente confiance en la Providence. Mais quelles métaphores rebattues pour traduire cette résignation ! « Quand
tu auras surmonté ce grain passager de ta navigation »...
— « Songe que je suis un pauvre prêtre qui va à la grâce
de Dieu comme les alouettes des champs, marche dans
mon sentier, sans bruit »... « dont les mains se lèveront
toujours au ciel pour demander à Dieu de répandre ses
bénédictions... ». Et « les orages du monde » et « la mer
périlleuse des intérêts humains » où se débat le pauvre
César... Balzac s'en donne à plaisir de souligner la simplicité bêlante du vicaire, la fadeur de ses conseils en

un pareil moment. Un vers de la fable, *le Coche et la Mouche*, en résume l'à propos.

> Un moine lisait son bréviaire,
> Il prenait bien son temps.

La femme du parfumeur accuse cette inadvertance en soufflant à son mari, pendant qu'il lit la lettre à haute voix : « Passe donc cela, et vois s'il nous envoie quelque chose... »

Tous ces traits comportent une intention de persiflage évidente : toujours survit en Balzac un penchant à lancer des pointes, comme Bayle, Diderot, Voltaire. Mais, dira-t-on, le vicaire se les attire par sa stupide conduite. C'est là qu'un examen attentif prouve que Balzac sacrifie la réalité, décrétée par lui, au développement rectiligne, mécanique des caractères, dont il a posé les conditions préalables. Il arrive, comme ici, que les faits subséquents ne cadrent plus avec l'idée directrice. Dans ce même roman, au moment où l'auteur nous renseigne sur les antécédents des frères Birotteau, nous apprenons que le vicaire, pendant la révolution, « mena la vie errante des prêtres non assermentés, traqués comme des bêtes fauves, et pour le moins guillotinés ». On sait ce que veulent dire ces deux lignes : c'est tout simplement, la vocation au martyre, librement acceptée par l'abbé Birotteau. Ce refus du serment supposait de sa part, l'absolu mépris de la souffrance et des aises. Voilà contredit l'idéal platement bourgeois auquel nous l'avons vu succomber très vulgairement dans *Le Curé de Tours*.

Un homme de cette trempe, un prêtre à plus forte raison, ne se dément pas à ce point, même en vieillissant. Il est piquant d'en trouver la preuve dans la *Relation des peines et des dangers encourus par les prêtres du diocèse de Tours, condamnés à la déportation en 1793, par un déporté* (1), par un confrère, non point fictif,

---

(1) Cf. Léon AUBINEAU, *Les Serviteurs de Dieu (Journal d'un confesseur de la Foi)*, **Paris**, Vaton, 1852, in-12.

de l'abbé Birotteau. Le caractère de ce dernier a été faussé par Balzac, à la légère, aux dépens de la vrai-semblance et de la vérité documentaire, afin de justifier le principe de son développement et les deux lois inexo-rables de sa structure : les conséquences du célibat auxquelles on substitue celles de l'atavisme. Comment admettre qu'une intelligence douée d'une pénétration suffisante pour avoir pesé les motifs lui interdisant, au péril de la vie, d'adhérer au schisme des prêtres jureurs, eût été capable de commettre de telles fautes de jugement, comme en témoigne la lettre précitée. Balzac joue sa partie : il faut qu'il la gagne aux dépens de la logique et contre les faits, mais que les Birotteau la perdent, car *c'était écrit*. Qu'on ne prétende pas voir là du romanesque psychologique inattendu : aucun événement n'est sur-venu qui puisse causer cette brusque modification dans la mentalité du vicaire.

Puisque nous reprochons à Balzac l'automatisme de ses personnages, nous devrions nous réjouir qu'il y ait ici rupture de mécanisme ; ce procédé se rapproche davan-tage de la nature morale. Malheureusement ce hiatus ne peut être expliqué.

Cependant les principes sur lesquels Balzac fonde ses jugements, ou d'après lesquels il dirige ses personnages, n'ont pas toute la valeur scientifique qu'il leur accorde. L'importance qu'il leur donne, les répercussions qu'on entend, à travers son œuvre, de leur débat ont pour fin, non la connaissance, mais le déclenchement d'impres-sions d'art. Ils fournissent à l'auteur des modes de déve-loppement, des ressorts qui poussent ses explorations à travers toutes les couches de l'humanité ; ce sont des moules à penser. Ses déductions rejoignent alors les théories, les intuitions, les systèmes premiers dont il soutenait sa création. Celle-ci trouve par ces moyens un aliment inépuisable, capable d'entretenir l'innom-brable mêlée de masses, surgies d'une géniale imagina-tion. Elle parvient à coordonner ses mouvements d'après un mécanisme dont on démonte les rouages assez facilement.

Nous avons observé comment le caractère de l'abbé Birotteau, dans *Le Curé de Tours*, était délesté de *ses antécédents*. Ils nous sont présentés dans la toute dernière phase de son existence. Par un retour en arrière sur son personnage, le romancier devra nous expliquer d'une autre manière que par le célibat, « les causes profondes » de ses infortunes. La niaiserie dont est accablée l'intelligence des deux frères se manifeste comme le signe d'une fatalité mystérieuse, inhérente à leur sang. Elle rendait « leur esprit peu propre à remonter la chaîne des inductions par lesquelles un homme supérieur arrive aux causes ». Cette impuissance congénitale aveugle leur entendement qui ne peut déjouer les embûches ; ils sont hébétés devant la moindre machination. Comment ce vicaire naïf se dégagerait-il des rêts où l'enlacent, par des jeux sournois, deux monstres de l'astuce, la Gamard et Troubert. Il en sera de François et de César, comme il en fut de Jean leur frère, tué à la bataille de la Trébia : « La destinée des Birotteau voulait sans doute qu'ils fussent opprimés par les hommes ou par les événements partout où ils se planteraient ». L'intervention du Fatum antique simplifie singulièrement la naissance des ouragans où sombre la fortune des trois frères après un début favorable. Leurs ambitions démesurées ont allumé le courroux de la divinité. Pourquoi le modeste vicaire, ne s'est-il pas contenté de jouir tranquillement de la belle installation que lui avait léguée le chanoine Chapeloud ? Vingt ans de convoitises se terminaient dans le succès et la béatitude rêvée. Pourquoi donc aspirer au canonicat ? L'excès de cette prétention ruinera le bonheur acquis. Elle exprime un orgueil inconscient. On ne se mêle pas d'intriguer quand on n'est « ni une grande âme ni un fripon », mais « un franc et maladroit égoïste », « un grand enfant » de soixante ans ; quand on s'en remet aux autres pour faire réussir des projets qui tiennent à cœur et vous empêchent de dormir. Pourquoi César, le parfumeur s'est-il laissé griser par l'ambition des richesses ?

Ce recours à la Fatalité introduit dans l'agencement de l'intrigue et la structure du caractère, un *deus ex machina* dont l'existence éphémère dure juste le temps d'une métaphore. Bien qu'usée, celle-ci suffit à elle seule comme motif recevable des disgrâces aussi lamentables ; ses reflets revêtent d'un vernis épique une aventure de sacristie : voilà ce que pense tout net un lecteur non renseigné. En réalité ce concept mythologique appartient à la métaphysique balzacienne. Quand les épreuves transforment en victimes de l'amour conjugal, une Sabine de Grandlieu, une Henriette de Mortsauf, Balzac l'attribue aux maléfices du « fatal génie ». « Ici le génie du mal est trop visiblement le maître, et je n'ose accuser Dieu ». Quelle que soit « la configuration poétique » sous laquelle il se représente cette *entéléchie*, qu'elle soit ange ou démon, il la considère comme la force adverse du bien, et ces deux principes opposés « ont créé le monde de moitié ». Cette opinion teintée de manichéisme, ne nous intéresse ici que du point de vue littéraire. Elle concentre sur un personnage typique un magnétisme préternaturel qui le force d'agir dans le sens prévu. Son désastre se confond avec le décret d'une puissance supérieure. On se convainc que la détresse d'un Birotteau réveillait dans l'esprit de Balzac tous les échos philosophiques de ses méditations sur l'essence du mal, l'éternité de la matière. Birotteau, qu'il fût François, qu'il fût ou César ou Jean, perdait à nouveau ses apparences humaines pour revenir à son état initial désincarné : une idée.

Les personnages de *La Comédie Humaine*, les romans eux-mêmes, sont l'habillement d'une idée générale. Chacun d'eux se résume par une sentence, un mythe, un aphorisme, ou encore par l'évocation d'un personnage historique, ou d'un héros de légende, auquel est identifié le personnage fictif. Cette armature, ce support rationnels donneraient aux caractères une allure mécanique si la

passion ne venait l'agiter d'une ardeur intense sous le
flot des images. Elles emportent l'esprit du lecteur, le
ballottent à la crète des vagues écumantes. On comprend
que Balzac ait revendiqué le titre de poète plus encore
que celui de romancier. Nous avons montré cette force
imaginative à propos du rôle qu'il attribue aux idées.
Il est regrettable que la clef de ces symboles nous soit
donnée au fur et à mesure que passent les métamorphoses
devant les yeux du lecteur. Il doit subir « ces averses
de métaphysique » contre lesquelles Monsieur Taine tirait
soigneusement son parapluie. L'art gagnerait en ondoie-
ments mystérieux, si l'on nous avait laissé le soin de
découvrir le sens des images. Trop souvent l'auteur nous
demande la permission « de quitter le drame qu'il raconte
pour prendre un moment le rôle de critique » *(Curé de
Tours)*. Ses explications tendent à nouer plus fortement
les fils qui rattachent les comportements des personnages
aux lois psychophysiologiques qui régissent la passion.
Celle-ci demeure « l'élément » primordial, foncier, par
quoi sa poétique élabore la mobilité sociale de ses romans.
« La passion est toute l'humanité » *(Avant-Propos)*.
« En dressant l'inventaire des vices et des vertus, en ras-
semblant les principaux faits des passions, en peignant
les caractères », Balzac voulait non seulement écrire
« l'histoire ... des mœurs », mais en dégager les principes
naturels ». Par là son système philosophique comporte
une valeur soumise à l'examen critique des spécialistes (1).

Aucune observation, si minime soit-elle, ne lui semblait
négligeable. Qu'importe au psychologue la façade de la
maison où il enquête ? Palais ou taudis, le lieu cache
des réalités mettant en mouvement des rivalités qui
sont les mêmes, issues de passions qui sont identiques ;
les mêmes « tarets sociaux » y exercent leurs ravages
secrets. Les tragédies de la sordide pension Vauquer
valent celles de l'hôtel du comte de Serizy. Pour un

---

(1) Cf. Paul Césari, *Etude critique des passions dans l'œuvre
de Balzac* ; Gaston Rabeau, *Balzac et le Christianisme, Chronique
philosophique* dans *Enseignement Chrétien*, oct. 1944.

artiste l'intérêt que suscite une intrigue n'égale pas
l'importance sociale des personnages mais l'intensité de
leurs passions. Balzac le répèta souvent. *Le Curé de Tours*,
c'est « une tempête dans un verre d'eau ». « Mais cette
tempête développait néanmoins dans les âmes autant
de passions qu'il en aurait fallu pour diriger les plus
grands intérêts sociaux ». Selon notre théoricien, les
passions naissent presque toujours d'une réaction anti-
sociale, quand l'individu dresse ses intérêts particuliers
contre l'ordre réclamé par le bien commun. De bonne
heure, cette idée lui était venue puisque le sermon de
l'abbé de Montivers dans *Argow-le-Pirate* (1824) expose
de nombreuses situations qui sortent de ce conflit. Dans
Le Père Goriot, le réquisitoire de Vautrin contre les
injustices légales et l'hypocrisie des hommes atteint une
éloquence épique, une violence corrosive. Ce forban est
le type du hors la loi, la passion anti-sociale personnifiée.
Le jeune Rastignac auquel le bandit insuffle sa passion
aura pour pairs et compagnons, tous les « corsaires en
gants jaunes » des *Scènes de la Vie Parisienne*, tous les
loups-cerviers de la finance. Leurs exploits se manifestent
aussi bien dans les bouges que dans les palais. Ils ont
pour confrères, au ras du sol, les paysans sournois et criminels des *Paysans*, les petits bourgeois jaloux et vaniteux d'*Ursule Mirouët*.

Balzac considérait ce dernier roman comme « le chef-
d'œuvre de la peinture des mœurs » (*à Mme Hanska*,
1er mai 1842). Il découvrait en des âmes d'héritiers de
nauséabondes cupidités. Il faisait une repoussante peinture de la jungle sociale : « fauves », « reptiles », « scor-
pions », « cloportes », convoitent leur proie, ils sont sans
cesse aux aguets pour la surprendre. Ils sont une nuée
d'envieux. Cependant l'étude de leur caractère à chacun
montre l'intelligence aiguë du psychologue. Il a varié
toutes les teintes de la laideur morale. Tous les aspects,
toutes les formes que peut revêtir le désir d'hériter, suivant l'âge, le sexe, le tempérament, l'éducation, la position sociale, il les a évoquées. Nuances fugitives, chan-

gements imprévus, il lui suffit de quelques mots colorés
pour les fixer, pour condenser dans une formule aussi
bien le cynisme que la contagion de la beauté morale,
opérant même sur un cœur taré, empoisonné par la
jouissance du mal. Le dialogue, mieux encore que le portrait et la narration, permet à Balzac de faire ressortir comme un peintre habile, dans la pâte de la personnalité, ces reflets qui viennent du tréfonds. Quand Portenduère, le chevaleresque fiancé d'Ursule, se trouve face
à l'hideux Goupil, puis va provoquer Minoret-Levrault,
en face de sa femme Zélie, son affreuse complice, il y a
des notations que seul peut atteindre un fort génie.
L'humanité se traîne pantelante devant celui qui la trans-
perce d'un regard infaillible. Tant de puissance artistique
donne à chaque créature une personnalité propre, au
caractère une apparence singulière, qui voilent le mécanisme de l'automate.

L'inconséquence commise par Balzac à l'égard de
l'abbé Birotteau dans la structure de son caractère, je
consens qu'elle soit exceptionnelle. Elle est de plus
instructive. Un abbé Birotteau porté sur la bouche n'est
point de saison quand un frère bien aimé se débat au
fond de l'abîme en appelant au secours. La passion favorite de l'ecclésiastique ne mène plus alors l'inspiration
de l'auteur qui cherche le pourquoi de la destinée malheureuse commune aux trois frères Birotteau. Il croit l'avoir
découverte ; il l'énonce en termes graves sous forme d'une
idée générale ; celle-ci soumet au même patron tous les
cas particuliers, dussent-ils en être violentés, contractés.
Au contraire, la passion assure aux personnages qu'elle
domine, une continuité dans la démarche, les gestes,
les paroles, par quoi leur vice se traduit et se trahit.
Il y a une logique de la passion chez Grandet, Vautrin,
Gobseck, Hochon, Nucingen, les Rouget père et fils,
Philippe Bridau, Hulot, la Cousine Bette. Ils sont tellement monstrueux que nous hésitons à les admettre parmi
les représentants authentiques de l'humaine faiblesse.

Portraits flattés, mais en faveur de l'ignoble et du laid ; ce sont « des exceptions ». — Non, répond Balzac à Hippolyte Castille, en 1846, car j'ai connu l'original de Vautrin, de Desplein. Puis, il émet les deux principes de sa création littéraire : « Qu'est-ce que la vie, un amas de petites circonstances, et les plus grandes passions en sont les humbles sujettes » — « j'ai entrepris l'histoire de toute la société. J'ai exprimé souvent mon plan dans cette seule phrase : « Une génération est un drame à quatre ou cinq mille personnages saillants ». Ce drame, c'est mon livre... Quand, pour obtenir un si grand résultat, on prendrait quelquefois une exception, où serait le tort ? Croyez-vous que Lovelace existe ? Il y a cinq cents dandys par génération qui sont à eux tous, ce Satan moderne ». L'argument est sans réplique quant à la vérité du portrait : il est fait d'après nature, d'après une infinité de détails réels. Ces personnalités puissantes usent des mêmes objets que les plus humbles mortels ! Mais ils ont une manière à eux, comme chacun de nous a la sienne. De là une diversité de types pour incarner la même passion ou le même vice, l'avarice par exemple dont il est tant question dans *La Comédie Humaine* !

Que de variétés dans l'espèce ! Balzac lui-même, dans *Les Paysans*, cède au plaisir de les énumérer ; « Vous vous rappelez peut-être certains maîtres en avarice déjà peints dans quelques Scènes antérieures ? D'abord l'avare de province, le père Grandet de Saumur, avare comme le tigre est cruel ; puis Gobseck l'escompteur, le jésuite de l'or, n'en savourant que la puissance et dégustant les larmes du malheur, à savoir quel est leur cru ; puis le baron Nucingen, élevant les fraudes de l'argent à la hauteur de la Politique. Enfin, vous avez sans doute souvenir de ce portrait de la Parcimonie domestique, le vieil Hochon d'Issoudun, et de cet autre avare par esprit de famille, le petit La Baudraye de Sancerre ! Eh ! bien, les sentiments humains, et surtout l'avarice, ont des nuances si diverses dans les divers milieux de notre société, qu'il restait encore un avare sur la planche de

l'amphithéâtre des Etudes de mœurs ; il restait Rigou !
l'avare égoïste, c'est-à-dire plein de tendresse pour ses
jouissances, sec et froid pour autrui, enfin l'avarice
ecclésiastique, le moine demeuré moine *(Rigou est un
ancien bénédictin qui a rompu ses vœux à la faveur de la
Révolution)* pour exprimer le jus de citron appelé le
bien-vivre, et devenu séculier pour happer la monnaie
publique. » Il conviendrait d'ajouter à la liste, Maître
Cornélius, et Elie Magus. Il serait intéressant de justifier
par l'analyse d'un chacun les jugements portés sur ces
types par leur créateur, en montrant, dans leur développement et à travers leurs retours dans l'œuvre, les
luttes, les intrigues, les manœuvres que mènent ces
avares pour satisfaire leur vice. Celui-ci n'exclut pas,
mais seconde, chez certains d'entre eux, d'autres
passions, violentes aussi. Leur tendance principale accélère son mouvement, à mesure qu'elle s'exerce dans la
direction imprimée dès le début, sur un objet plus
ample ; elle s'empare avidement des moindres avan-
tages qui accroissent leur soif insatiable de possessions
plus étendues. Leur caractère prend aussi un relief
extraordinaire par l'amoncellement des détails, dans une
continuité sans hiatus ; il s'étoffe et s'enrichit. Ainsi la
passion maintient leur vitalité dans leur élément propre :
malgré son intensité et ses dimensions, elle ne nous
paraît plus étrange, mais naturelle. C'est là que nous
voulions en venir.

Prenons pour objet de démonstration le caractère
d'Henri de Marsay. Ses nombreuses « reparutions » (1)

(1) Ce néologisme, créé par Miss Ethel Preston, exprime mieux
que « réapparition », la notion du procédé spécialement étudié par
ce critique, dans ses *Recherches sur la technique de Balzac, Le Retour
systématique des personnages de la Comédie Humaine* (Presses Françaises, 1927). Chacun de ces «reparaissants» est l'objet d'une enquête
personnelle, rapportant ses faits et gestes dans chaque roman,
avec son analyse psychologique et son rôle dramatique. On complètera utilement ces renseignements en recourant à A. G. Canfield,
Les Personnages reparaissant dans la « Comédie Humaine » (Revue

lui confèrent une singulière importance : il figure dans vingt-six romans. C'est l'un des *Treize*, une association secrète de *compagnons* qui se mettent au-dessus des lois, divines et humaines, pour s'aider mutuellement à satisfaire leurs immenses ambitions dans tous les domaines. Il n'est le personnage principal que d'un roman, *la Fille aux yeux d'or*. Nous y apprenons son origine et le genre de son éducation, l'une et l'autre nous livrent la clef de toute sa destinée. Fils naturel d'un lord et d'une marquise, une vieille demoiselle, sa tante, se charge de lui et le remet aux soins d'un précepteur, l'abbé de Maronis, un prêtre taré qui déprave son élève. Ce dernier est doué de tous les prestiges : intelligence, beauté, fortune, hautes relations, élégance, distinction. « Il a le courage d'un lion et l'adresse d'un singe », « le regard fixe, calme et rigide comme celui du tigre ». Il est irrésistible : ses conquêtes ne se comptent plus ; nommons parmi les plus notoires : Delphine de Nucingen, lady Dudley, la Duchesse de Maufrigneuse. C'est le roi des dandys et de la mode, l'oracle de tous les salons ; pas une grande dame qui ne tienne à le compter parmi les habitués du sien. Et pourtant, quel cynisme ! quel mépris dans ses propos ! « Il y a toujours un fameux singe dans la plus jolie et la plus angélique des femmes » *(Autre étude de femme).* — « Et qu'est-ce que la femme ? Une petite chose, un ensemble de niaiseries... » *(La Fille aux yeux d'or).* Toute sa morale consiste dans le résultat qu'avait obtenu l'enseignement du précepteur : « Il ne croyait ni aux hommes ni aux femmes, ni à Dieu ni au diable ». Cela rend intelligible tout le développement de sa personnalité. Sceptique, pessimiste, individualiste, il est en réaction constante contre les principes de la morale sociale : « elle est sans force contre une douzaine de vices qui

d'Histoire littéraire, 1934, n°ˢ 1 et 2). *La Genèse et le plan des caractères dans l'Œuvre de Balzac*, de Miss Hélène ALTZYLER (Alcan, 1928), offre un essai sur le travail créateur et spontané de Balzac dans la structure de nombreux types balzaciens, dans ses rapports avec la vie des originaux.

détruisent la société et que rien ne peut punir... L'homme
est un bouffon qui danse sur un précipice... ». « Le mariage
est la plus sotte des institutions sociales... ». L'amour
n'a rien pour l'idéal : « c'est la conscience du plaisir donné
et reçu... ». — L'homme d'Etat doit « savoir toujours
être maître de soi... enfin, avoir dans son moi intérieur,
un être froid et désintéressé qui assiste en spectateur à
tous les mouvements de notre vie, à nos passions, à nos
sentiments et qui nous souffle à propos de toute chose
l'arrêt d'une espèce de barème moral... ». Contempteur
de la masse, il n'a point de pitié pour ses souffrances.
Pourtant, Marsay devient premier ministre après la
Révolution de 1830, « laissant la réputation d'un homme
d'Etat immense, dont la portée fut incompréhensible... ».

Le machiavélisme, l'habileté politique, l'ironie sarcas-
tique, insolente, voilà les armes qui le rendent redou-
table à tous et à toutes, pendant toute sa carrière, de 1815
à 1834. Le magnétisme de « l'illustre de Marsay » créait
dans toute *La Comédie Humaine* une ambiance indispensable à l'évolution de nombreuses intrigues et de nombreux caractères ; sa permanence fixe une portion de la
société mondaine dans l'immoralité, et la condamne.
Très tard, Balzac nous révèle le secret de cette vie et
dénoue l'énigme d'un pareil septicisme en toutes choses
(Autre Etude de femme). Il devient un fait banal, et nous
paraît, à cause de cela, très normal. Le procédé est d'une
habileté consommée. Le premier amour de Marsay avait
été sincère, éperdu de générosité. Il avait éprouvé une
si cruelle déception qu'elle l'avait jeté, esprit et cœur,
dans la haine : il prit sa revanche à pervertir les autres.
Son pessimisme s'explique ; tout devient naturel dans
ses activités anarchiques. Ses origines d'abord, son éducation ensuite, ses propres expériences ont fait de lui
un forban élégant ; il jouit sans amertume de tout le mal
qu'il observe et qu'il cause. Que l'on répète ce contrôle
sur la plupart des personnages balzaciens, et l'on con-
clura volontiers, avec Miss Ethel Preston : Balzac a su
relier parfaitement de roman en roman, les éléments

accidentels de ses intrigues en conformité parfaite avec
le caractère de ses personnages. Il a su manier avec la
plus grande aisance cette immense figuration et « avec
un esprit de suite qui pour n'être pas absolu n'en est
pas moins remarquable ».

Entre toutes les passions, l'amour tient la place la
plus envahissante : toutes les nuances de ce sentiment
ont suscité une infinité de touches, de types, les plus divers.
Il n'est pas un roman de *La Comédie Humaine* qui ne comporte plusieurs études d'une femme aimante ou aimée.
Sa sensibilité d'artiste, sa curiosité de psychologue, sa
tendance de moraliste, ses prétentions d'historien social,
son tempérament d'homme sensuel, prompt à se sugges-
tionner, à se passionner pour les délices du cœur ou de
la chair tout ensemble, sollicitaient Balzac à fixer les
traits d'une héroïne nouvelle, telle que l'observation
ou l'imagination la lui montraient. Ses rêves en quête
de la femme parfaite, de la figure la plus harmonieuse,
correspondaient à ses désirs, à ses hantises, à ses illusions,
à ses ivresses du moment ; ils peuplèrent son œuvre de
créatures et de fantômes. Il est possible de décrire la
courbe de ses propres impressions, de reconnaître les
chimères de ses incantations. Chacune de ses œuvres de
jeunesse (1820-1824) a pour héroïne centrale une jeune
fille en proie aux premières émotions sentimentales.
Marie de Verneuil *(Les Chouans)* — nous l'avons remarqué déjà — nous offre la synthèse de toutes les esquisses
précédentes : le jeune écrivain y traduisait toutes les
aspirations et les tourments de sa sensibilité. Cette fraîcheur devait marquer à jamais sa personnalité, son talent.
Toutes les jeunes filles et les jeunes femmes des *Scènes
de la Vie Privée* sont des créations poétiques, vierges
au visage nimbé de pureté, des fiancées liliales, cachant,
sous leurs voiles pudiques, leurs chagrins, leurs désillusions. Il faudrait les nommer toutes. Nous les retrouverons
dans *La Comédie Humaine*, anges de délicatesse, éperdues
de dévouement, toujours prêtes à se sacrifier pour le

bonheur de l'élu. Eugénie Grandet, Henriette de Mortsauf, Pierrette Lorrain, Ursule Mirouët rivalisent avec
la sœur de charité. Leur amour se teint d'une nuance
maternelle. Serait-il téméraire de l'attribuer aux dispo-
sitions naturelles de Balzac ? Il considérait, un peu par
égoïsme, que le rôle de la femme, « sa religion », était « de
soumettre le ciel et le monde » à l'amant ; d'appréhender
dans l'exaltation d'un amour, même héroïque, le terme
de l'instinct souverain qui lui fait trouver dans un autre
être qu'elle admire, l'épanouissement de son moi total.

Le duel du mariage et de l'amour inspirait souvent l'invention du romancier ; il concluait souvent en faveur
de la Société comme dans les *Scènes de la Vie Privée*,
Une Double Famille, *La Fausse Maîtresse*, *Une Muse
du Département*. La plupart de ses romans finissent sur
une note de mélancolie et de désenchantement, comme
dans *Honorine*, *La Femme abandonnée*. « De hautes raisons
sociales » peuvent obliger l'épouse « à subir d'avilissants
partages », « qu'une maîtresse doit avoir en haine, parce
que dans la pureté de son amour en réside toute la jus-
tification ». La doctrine romantique, colore ce subterfuge d'une beauté morale qui leurre tant de femmes
passionnées de *La Comédie Humaine*. Dans son ensemble,
et malgré tant de satires comiques du mariage, il n'est
pas douteux que le romancier avait pris parti pour les
institutions politiques et religieuses qui soumettent les
passions individuelles à la loi, sauvegarde de la famille
et de la société. Nous ne voulons indiquer ici que les
lignes de force auxquelles s'appuie la fresque de l'Amour,
avec tout son cortège, de figurantes et de figurants,
symboles de toutes les passions engendrées par le dieu
retors et malin, au carquois inépuisable. Les *Mémoires
de deux jeunes mariées*, c'est l'amour-passion divinisé ;
il brûle et dévore d'une fièvre maligne celles dont l'orgueilleux égoïsme s'idolâtre lui-même ; elles tuent ceux
qu'elles veulent asservir en croyant les aimer ; l'amour
se détruit de lui-même. Ainsi vaut-il mieux se contenter
d'une sage modération : la famille aussi procure des joies

solides. Il y a le mariage d'argent, machiné par une mère machiavélique qui veut s'enrichir par sa fille aux dépens du gendre : *Le Contrat de mariage*. Il y a le roman de la coquetterie cruelle et mondaine : nous en connaissons les saveurs ironiques et mordantes : *Béatrix, La Duchesse de Langeais, Le Cabinet des Antiques, Les Secrets de la Princesse de Cadignan* peignent l'amour tel qu'on le vivait « dans la paroisse Saint-Thomas d'Aquin » sous la Restauration, avec tout ce que comporte chez une Diane de Maufrigneuse, la vanité de soumettre à son sceptre une foule de grands seigneurs ou de petits maîtres quis se ruinent avec emphase. Il y a l'amour en province dans *La Vieille Fille*, agitant toute la Société d'Alençon, où Mlle Rose-Marie-Victoire Cormon, l'héritière déjà très mûre, devient l'enjeu de deux clans politiques, les libéraux et les légitimistes.

Il a fait leur place aux bas-bleus, aux courtisanes, la franche Aquilina, la pauvre Coralie, la malheureuse Esther, Mirah la cantatrice, et combien d'autres dont la bonté naturelle, le dévouement total, sincère, l'ignorance, l'inconscience morale expliquent en partie, atténuent l'horreur de leurs désordres et de leur déchéance, et met à leur front comme un pâle reflet de la dignité humaine. Il faut descendre plus bas encore, vers l'étable ignoble où grogne sourdement, halète d'hébétude, la lubricité sénile, incurable, cynique des vieillards libidineux ; c'est le baron Nucingen, le baron Hulot, Crevel, le vieux docteur Rouget et son fils. On ne pouvait pas de façon plus atroce nous conduire à travers les damnés de la Luxure « à sa proie attachée ». Balzac cependant ne s'attarde pas aux scènes suggestives. Peintre inexorable, il montre les abaissements, les aberrations où la volupté démoniaque plonge ses possédés. La vérité de son réalisme entretient dans une horreur dantesque et dans l'effroi, les témoins qui se sentent humiliés pour l'espèce humaine. Après avoir parcouru cette galerie des passions de l'amour, on sort halluciné. Se peut-il que tant de formes aient sous nos yeux diversifié un même sentiment ? Des tendresses poétiques et ferventes en leurs généreuses promesses, des élans platoniques et divins, des unions éthérées « d'âme à âme » fuyant à jamais les contacts menteurs, des fureurs sensuelles, des paisibles et profonds bonheurs du foyer, de l'orgueilleuse et despote domination, des nobles dévouements, qui donc a mieux marqué les contrastes, les effets magiques, parfois les connexions étonnantes et souterraines qui permettent au génie d'enfler ses conceptions pour tâcher d'égaler l'ample sein de la nature ? (1)

Deux romans, peut-être les plus grands, à coup sûr les plus sombres de *La Comédie Humaine*, *La Rabouilleuse*, *La Cousine Bette*, montrent dans une horrible mêlée, les passions, les plus ignobles comme les plus hautes, aux prises avec les lois naturelles, sociales, divines. Les instincts sont déchaînés avec une force explosive ; leur paroxysme atteint un degré surhumain. Ce n'est plus un personnage, c'est la passion abstraite dotée d'un dynamisme foudroyant, c'est la possession de l'individu par une sorte de génie opérant dans une jungle idéale. Balzac va jusqu'à dire que « les sentiments nobles poussés à l'absolu produisent des résultats semblables aux vices ». La sainte baronne Hulot en fournit la preuve. Mûe par un dévouement aussi déconcertant qu'inouï, digne de Marie l'Egyptienne, elle allait sombrer « avec la majesté de sa vertu » dans le déshonneur. Elle allait céder aux sollicitations infâmes de Crevel, afin qu'il lui consente un prêt qui sauverait l'honneur familial : sa foi la sauve. Un pessimisme anarchique se dégage de ces tableaux ; ils gardent l'imprégnation ancienne du roman noir, du genre fantastique. A force de réalisme, ils détruisent la réalité. Tant d'horreurs crapuleuses ne seraient pas conçues par des sauvages, leur stagnation morale les en empêcherait. Nous devenons sceptiques. Pouvons-nous admettre que la civilisation puisse engendrer de ces monstres abomi-

(1) D'après Léon EMERY, *Balzac, les grands thèmes de la Comédie Humaine* (trois chapitres consacrés aux formes des passions de l'amour), pp. 93-153.

nables ? Auprès de ces repoussantes créatures d'où s'exhale
la putréfaction des mœurs, devant cette immonde décrépitude physique et morale, notre dégoût de l'humanité
tournerait-il à la désespérance ? Nous demanderons-nous
si, pour rendre à plein l'effet artistique de ses visions, le
peintre n'a pas jeté un défi à Satan ? si l'écrivain, comme
hanté par cette rivalité, n'a pas pris un âcre plaisir à
saccager la cité dont il avait juré de défendre les Lois ?
Tandis que dans la fresque immense qu'on pourrait
intituler *le sabbat des Passions*, les montres se détachent
en relief dans une splendeur horrifique, les gnômes,
gardiens de la moralité, chargés de châtier les criminels
disparaissent dans les recoins sombres, apeurés par tant
de perversité.

Eh bien ! non. Cette conclusion que nous suggère l'un
ou l'autre critique, nous la repoussons. L'homme honnête,
droit et sain d'esprit, réagit spontanément dans un autre
sens, celui où Balzac cherche à le provoquer, Il se sent
pris d'une immense pitié pour ces êtres dépravés. Il
admire, ému, les hautes vertus, l'intacte probité des
créatures idéales qui, dans le roman, se dressent frémissantes pour défendre les droits de la dignité humaine. En
tant que citoyen, il comprend mieux la nécessité des principes supérieurs qui empêchent la société de se corrompre.
Ce sont eux qui retiennent l'honnête homme de glisser en
de tels bas-fonds. Disons-le tout de suite avant de nous y
arrêter : l'art de Balzac est tonifiant.

CHAPITRE II

LA STRUCTURE DES ROMANS

« Sainte-Beuve, dans l'article qu'il écrivit à la mort de Balzac, dit : « Il y a trois choses à considérer dans un roman ; les caractères, l'action, le style ». Il n'emploie pas dans cette table des valeurs justes. le mot composition. Mais trois pages plus loin il écrit : « M. Eugène Sue est peut-être l'égal de M. de Balzac en invention, en fécondité, en composition ». La composition a pris place dans les trois qualités, plutôt inférieures, en lesquelles un Eugène Sue peut dépasser un Balzac » (1). Pour apprécier l'originalité, le talent, les mérites de ce dernier, continuons d'examiner les moyens dont il use. Nous en avons saisi plusieurs : la description, l'observation, la documentation, un système philosophique, les idées, les passions. Ces deux dernières ne sont pas pour Balzac des abstractions, mais des forces vives, des ressorts intimes, coulés pour ainsi dire, dans l'organisme humain et dans la nature ; leurs attaches s'y soudent sans qu'on puisse trouver le point de jointure. Sa fécondité s'étale dans la nomenclature formidable des titres qui composent *La Comédie Humaine*. Nous avons étudié la technique des *caractères*. Avant de passer à celle du *style*, nous devons nous arrêter à celle de l'*action*. Nous

(1) Cf. Albert THIBAUDET, *Réflexions sur le Roman*, p. 186.

devons examiner ce qu'elle doit à l'*exposition*, à l'*intrigue*, au *dialogue*, pour porter un jugement sur la *composition* du roman balzacien. Enfin une question fort débattue ne peut être écartée : l'art romanesque de *La Comédie Humaine* n'use-t-il pas jusqu'à un certain point, des ressources de l'*art dramatique ?*

L'action réside dans les mouvements divers, spirituels ou physiques, produits par des causes observables ou pressenties, qui font évoluer une situation de crise en crise et la poussent jusqu'au dénouement. C'est comme au théâtre mais avec bien des différences. La première est que sur la scène, le temps ne joue qu'un rôle très réduit, sa durée ne dépasse guère vingt-quatre heures. La deuxième, c'est que l'auteur dramatique doit restreindre rigoureusement son choix aux épisodes les plus significatifs, ou jugés indispensables à la progression des événements, à la connaissance des caractères. Le romancier au contraire dispose de la durée ; il prolonge à son gré le développement d'une situation ; il y agglutine, il y relie des épisodes menus, même d'apparence presque insignifiante, provoqués par sa fantaisie ou par les exigences des personnages. Une fois conçus, ceux-ci développent leurs activités sous les yeux de leur créateur et en dehors de sa volonté.

L'intrigue est la combinaison des circonstances, des incidents, des caractères qui forment le nœud de la crise, éveillent dans l'esprit du lecteur, l'intérêt ou la curiosité : elle tourne généralement autour d'une rivalité amoureuse. L'action romanesque reçoit donc ses impulsions, ses heurts, de tous les autres éléments de la composition. Nous ne pourrons ici que les mentionner, indiquer brièvement quelques exemples des combinaisons, des résultats qu'ils amènent. Nous voudrions rendre ainsi tangible tout ce que l'évolution du roman doit au génie de Balzac. Ces simples remarques seront comme des jalons pour des explorations futures et approfondies.

Jetons un regard rétrospectif sur l'ensemble des romans parus depuis 1830. *Les Chouans*, la *Physiologie du Mariage*, *La Peau de Chagrin*, nous ne les considérons malgré leur succès que comme les expériences et les préparations dernières. Ces ouvrages sont d'une autre valeur que tout ce qui précède. Ils sont le couronnement des tentatives antérieures, mais ils restent des ébauches, très riches de sens, des essais de structure. Ils marquent en même temps l'élan d'un talent qui possède les formes définitives où sera coulé le métal précieux dont l'alliage est enfin composé pour donner à l'œuvre d'art sa vraie consistance.

En 1830, s'épanouit la superbe floraison des *Contes Philosophiques* et des *Scènes de la Vie Privée*, où se sont affirmés sans conteste la puissance créatrice, la richesse de pensée et, par-dessus tout, le facile maniement des ressources techniques. On retrouve dans les œuvres précédentes l'une ou l'autre de ces recettes du romancier, mais non point la méthode sûre d'elle-même qui sait en user avec souplesse pour modifier ses effets. Le Conte et la Nouvelle obligèrent l'écrivain à ramasser ses efforts, à concentrer l'intérêt dans un épisode, au lieu que le roman est une suite d'épisodes qui s'allonge, une succession de scènes qui donne au temps la facilité de produire des incidents, et de varier les biais d'où l'on nous fait voir la situation imaginée. La nouvelle exige une composition plus rigoureusement ordonnée.

Le premier procédé dont se servit Balzac, et qu'il reprit constamment, ce fut *le contraste*. La plupart des nouvelles offrent un dyptique : *La Maison du Chat-qui-pelote*, *Le Bal de Sceaux*, *Le Message*, *Un Drame au bord de la Mer*, *Madame Firmiani*, *Adieu*. « Ces deux parties, dit l'auteur d'*Une Double Famille*, formeront alors une même histoire qui avait produit deux actions distinctes ». Nous voyons deux portraits du même personnage, deux tableaux de son existence, *avant* et *après* l'événement qui la départage, en oppose les deux parties, et organise le plan du conte ou de la nouvelle. Dans *La Maison du*

Chat-qui-pelote, le tableau de la vie simple et sereine d'Augustine Guillaume dans la boutique de son père contraste avec celui de ses tourments après son mariage avec le peintre Théodore de Sommervieux. Ce procédé donne la sensation d'une ordonnance qui s'adapte aux dimensions des plus grands romans. Les titres eux-mêmes la soulignent. De même que *La Maison du Chat-qui-pelote* était d'abord intitulée *Heur et Malheur*, nous aurons *Histoire de la Grandeur et de la Décadence de César Birotteau*, *Mémoires de deux Jeunes Mariées*, *Splendeurs et Misères des Courtisanes*, *Illusions Perdues*. Ce goût des contrastes, des oppositions, des antithèses se manifeste non seulement dans le plan des ouvrages, mais dans les descriptions, les portraits, les groupements de personnages, les jalousies de clans. On n'en finirait pas de donner des exemples. L'œuvre entière de Balzac est traversée par des jeux de lumières qui se reflètent, des échos qui se répondent. Nous avions eu dans *Le Curé de Tours*, la lutte feutrée du vicaire général Troubert avec le clan Listomère, nous aurons dans *Eugénie Grandet* la rivalité de deux familles, les Grassins et les Cruchot, convoitant la main de la riche héritière Eugénie, l'une pour son neveu, l'autre pour son fils. Ces concurrences se multiplient à plaisir dans *Le Cousin Pons*, *Le Père Goriot*. Dans *Un grand homme de Province à Paris*, le héros principal, Lucien de Rubempré, oscille entre deux groupes, la bande des journalistes tarés qui profanent leur art au culte de l'intérêt ou pour le plaisir de faire du mal, et le Cénacle de d'Arthez, réunion amicale de jeunes écrivains, chevaliers servants d'un très haut idéal. L'antagonisme moral de ces deux influences contraires commande les fluctuations de l'intrigue, selon que le cœur de Lucien subit l'ascendant des uns ou des autres. Le procédé s'amplifie dans *La Rabouilleuse*, où l'action ne vit que de caractères adverses : les deux frères, Joseph et Philippe Bridau, les deux Rouget père et fils, les deux demi-solde, Maxence Gilet et Philippe Bridau, chacun à la tête d'un parti d'amis.

Le contraste est partout dans *La Comédie Humaine*. Des groupes d'œuvre ne se feront plus opposition mais seront rangés dans la catégorie *Rivalités*, étiquette qui classera *La Vieille Fille* et *Le Cabinet des Antiques*. Caractères, portraits, situations, intrigues, les lieux eux-mêmes qui localisent l'action, les maisons et leurs habitants : entre tous règnent des correspondances de similitudes ou de dissimilitudes qui se subdivisent dans le détail. Par elles s'établit comme un jeu dramatique où les forces vitales sont comme aimantées. Cette dualité s'organise dans une sorte d'unité artistique. L'*Histoire de la Grandeur et de la Décadence de César Birotteau* abonde en ces oppositions de caractères et de décors et de personnages. L'effet le plus puissant de ces contrastes compose le dénouement. Quand le parfumeur, « ce héros de probité commerciale », réhabilité solennellement dans son honneur, rentre dans son ancienne maison, dans son salon, d'où la faillite l'avait honteusement chassé quelques années auparavant, le même décor, les mêmes femmes dans les mêmes toilettes de bal, les mêmes invités de marque, la même musique — le mouvement héroïque du final de la grande symphonie de Beethoven — occasionnent « une énorme surprise » qui le transporte dans un bonheur indicible ; son saisissement est tel qu'il en meurt sur le coup. Le bonheur cause la peine, la vie cause la mort.

Cette loi n'est-elle pas fondée en nature ? « Par une bizarrerie qu'expliquerait le proverbe : les extrêmes se touchent », des contrastes naît l'attirance : observation profonde dont Balzac sut tirer le meilleur parti. Ainsi la sympathie reliera-t-elle Minoret, médecin matérialiste et athée, et l'abbé Chaperon, curé de Nemours. « Pour pouvoir disputer, deux hommes doivent d'abord se comprendre. Quel plaisir goûte-t-on d'adresser des mots piquants à quelqu'un qui ne les sent pas ? Le médecin et le prêtre avaient trop de bon goût, ils avaient vu trop bonne compagnie pour ne pas en pratiquer les préceptes, ils purent alors se faire cette petite guerre si

nécessaire à la conversation. Ils haïssaient l'un et l'autre
leurs opinions, mais ils estimaient leurs caractères. Si
de semblables contrastes, si de telles sympathies ne sont
pas les éléments de la vie intime, ne faudrait-il pas déses-
pérer de la société qui, surtout en France, exige un antagonisme quelconque ? C'est du choc des caractères et
non de la lutte des idées que naissent les antipathies ».
En formulant ce principe de psychologie dans *Ursule
Mirouët*, en 1841, l'écrivain l'appuie sur sa longue expérience, mais après l'avoir appliqué dans l'abstrait à la
conduite de nombreux personnages. L'une de ses premières nouvelles, *Le Bal de Sceaux* (1829), avait montré
une jeune fille, Emilie de Fontaine, manquant sottement
un mariage, par suite d'un caractère vaniteux et frivole,
incapable de comprendre la noblesse et « la fermeté de
caractère » du vicomte de Longueville.

A ce jeu d'oppositions le plan gagne en variété, et
l'action, quand elle est réduite à un symbole qu'il faut
expliquer, à une idée qu'il faut démontrer, acquiert
un mouvement d'oscillations chatoyantes. Par ce moyen,
Balzac démontre que, pour lui, décrire, c'est comprendre.
Son don poétique y excelle, comme dans *Jésus-Christ en
Flandre*. On est tenté de dire que la composition de ce
conte est miroitante. Elle embrasse deux idées : l'état
lamentable de l'Eglise dans le présent, l'état splendide
de l'Eglise dans le passé. Cette opposition se morcelle
encore par l'éparpillement des images illustrant les défor-
mations et les souillures par lesquelles les passions
humaines ont, au cours des siècles, défiguré l'harmonieuse
intégrité d'une institution divine. La conclusion sera
comme un appel à retourner vers l'idéal primitif. On peut
considérer ce plan, animé de résonnances constamment
alternées, comme une ébauche assez rudimentaire de
celui qui, d'une facture très savante, dressera face à
face dans *La Cousine Bette*, des personnages incarnant
les vices et les vertus contraires. Il serait trop long d'en
faire les portraits. Chacune des vertus est représentée
par un personnage différent, mais la troupe des vices,

comme un vol d'horribles oiseaux, s'abat sur le héros
central, l'infâme baron Hector Hulot. Il a les satellites
de sa hideur morale, son affreuse cousine Lisbeth, l'ignoble
Crevel et sa femme Valérie Marneffe, créature dépravée.
En face d'eux, le groupe vertueux fait contraste : la
baronne Hulot, ange de bonté, sa fille la Comtesse de
Steinbock, âme fière et pure, son beau-frère, type de
la probité, le maréchal Hulot, Nous ne pourrions épuiser
toutes les oppositions qui se ramifient à travers tous les
caractères et toutes les péripéties. Ce roman, paru
en 1847, l'un des trois derniers qu'ait écrits Balzac, le
plus volumineux, le plus touffu, le plus grouillant de
personnages, est comme une vaste synthèse des moyens
dramatiques employés par l'écrivain. On peut juger
maintenant de l'importance primordiale qu'y tient l'anti-
thèse des passions individuelles et des rivalités sociales.
Un contraste permanent soulève en tous sens les flots
de l'océan balzacien. Suivant l'éclairage de l'heure et
du moment, une multitude de formes et de figures
farouches ou désespérées s'agitent, se démènent, luttent
entre elles, ou se lutinent gracieuses. Et l'on songe aux
cortège d'Amphitrite, décrit dans *Télémaque*, à la surface des eaux paisibles où vole le char de la déesse, tandis
qu'Eole, qui le suit, inquiet et ardent, aux sourcils épais,
s'apprête à déchaîner de sa voix menaçante, l'esprit
des noires tempêtes et des vents séditieux.

Un autre élément de composition est l'*exposition*.
Il s'agit d'introduire le lecteur dans le milieu social où
va se dérouler le drame, de lui en présenter les acteurs,
et surtout le personnage central et ses comparses. C'est
à la *description* d'abord que ce rôle sera confié. Elle n'est
pas seulement de la couleur locale, du pittoresque. Elle
est surtout un témoignage sur l'époque, une sorte d'exploration sociale, un document sur la situation et le caractère des gens. Elle prépare l'intelligence du récit par la
tonalité des couleurs qu'elle projette dans le champ de
la vision. Nous avons étudié l'importance de ce procédé.

Qu'il nous suffise de rappeler la maison du marchand drapier Guillaume, l'hôtel de Mme de Granville *(L'Interdiction)*, la pension Vauquer *(Le Père Goriot)*, la maison Claës *(La Recherche de l'Absolu)*, le cabinet du juge Popinot *(L'Interdiction)*, qui appartiennent aux *Scènes de la Vie Privée*. Tout au long de *La Comédie Humaine*, la description remplira le même office. Le boudoir de Diane de Maufrigneuse et l'hôtel d'Escrignon *(Cabinet des Antiques)*, l'antique logis de Mme de la Chanterie *(L'Envers de l'Histoire Contemporaine)*, la gentilhommière du baron du Guénic, comme la ville de Guérande *(Béatrix)*, sont des « portraits des anciens âges », les « images » des « siècles », où « l'archéologue moral » entend parler les pierres qui communiquent des idées sur les gens qui les habitent. Pour nous introduire jusqu'au nœud de l'intrigue, il faut que nous connaissions les antécédents des personnages, d'où découlent leurs rivalités, puis les événements qui les ont excitées et mises aux prises. L'exposition devient dramatique en se complétant d'une digression vers la passé : c'est *le retour en arrière*. Elle nécessite la peinture extérieure de ces personnages ; c'est le moment de dresser leurs portraits en pied. Presque toutes les *Scènes de la Vie Privée* utilisent ce moyen d'exposition. Prenons en l'exemple dans *Une Double Famille*. Cette nouvelle débute par une description ; la rue silencieuse du Tourniquet Saint-Jean, près de l'hôtel de la Ville de Paris, la vieille maison noirâtre dont une fenêtre encadre souvent le frais minois d'une jeune brodeuse, qui remarque chaque jour un passant inconnu. Une liaison s'ébauche, des enfants naissent, des péripéties s'agitent autour du couple. Tout un mystère entoure l'amant et sollicite notre curiosité. Il devient nécessaire de déchirer le voile de l'anonymat. Une phase de transition va nous rejeter quelque douze ans en arrière. « Pour comprendre l'intérêt que cache l'introduction de cette scène, il faut en oublier un moment les personnages, pour se prêter au récit d'événements antérieurs... Vers la fin du mois 1806, un jeune avocat... ».

Pendant plusieurs pages tous les renseignements circonstanciés nous sont exposés sur l'avocat général de Granville pour nous expliquer la possibilité de son aventure. Il a le malheur d'être marié avec une femme bigote, totalement ignorante du véritable esprit chrétien. Elle lui rend la vie si odieuse qu'il va chercher, quoique père de quatre enfants, les joies du ménage avec Caroline Crochard, la brodeuse. De même dans *César Birotteau* : « Un coup d'œil rapidement jeté sur la vie antérieure » de son « ménage », « confirmera les idées que doit suggérer » la scène initiale du roman. Un long aperçu historique sur les mœurs du faubourg Saint-Germain en général et sur les déceptions conjugales de la Duchesse de Langeais, puis une notice biographique sur Montriveau sont nécessaires pour que nous soit expliquée « la situation respective où se trouvaient les deux personnages ». Dans *Le Médecin de Campagne*, « la confession » de Bénassis : « Je suis né dans une petite ville du Languedoc... », nous révèle la personnalité du héros, vers le dernier tiers du roman. Dans *Illusions Perdues* : « Il est d'autant plus nécessaire d'entrer ici dans quelques explications sur Angoulême, qu'elles feront comprendre... Mme de Bargeton, l'un des personnages les plus importants de cette histoire ». Nous pourrions multiplier ces phrases annonciatrices d'une vision rétrospective. *L'Envers de l'Histoire Contemporaine* en fournirait plusieurs exemples. C'est une loi de la disposition des événements dans *le plan* des romans balzaciens. Ils s'ouvrent sur une description, amorcent souvent l'exposition et l'intrigue par un dialogue ; puis, par une notice biographique des personnages déjà mis en scène, les conflits se corsent et s'éclairent.

Le temps exige toujours ses droits ; tout ce qui a vécu, dans le monde des idées, comme dans celui des faits, réalités ou illusions, lui appartient. Il a été l'acteur, silencieux et caché dans l'ombre, invisible en lui-même mais non point dans ses effets sur les personnes et sur les choses : le retour en arrière du narrateur est destiné à nous les faire connaître. D'une marche inexorable, il accomplit son œuvre dégradante, destructrice même sans qu'aucune catastrophe ne précipite le destin. Faut-il que quelqu'une intervienne dans l'action pour la faire rebondir ? Le romancier commande au temps, et le temps sort de sa léthargie, comme un vieillard menaçant. Elles ne sont point rares dans les romans de *La Comédie Humaine*, les formules de ce genre : « Cinq ans passèrent sans qu'aucun événement marquât dans l'existence monotone d'Eugénie et de son père. Ce fut les mêmes actes constamment accomplis avec la régularité chronométrique des mouvements de la vieille pendule. » Voici que son aiguille marque l'heure de la mort : Eugénie Grandet reste seule avec toutes les richesses de l'avare. Et l'action de se concentrer autour d'elle, en la personne de prétendants qui convoitent sa main pour posséder sa fortune. Ce procédé jalonnait déjà les *Scènes de la Vie Privée* et les *Contes Philosophiques (La Recherche de l'Absolu, Adieu)*. Il continuera d'être un auxiliaire dramatique. Quand on parcourt *La Comédie Humaine*, on tombe souvent dans ces flaques d'ombre, on traverse souvent des périodes d'attente où rien d'apparent ne se manifeste. Puis tout à coup surgit l'incident nécessaire. De telles formules sont courantes : « Trois mois après ces événements... » — « Deux années se passèrent ainsi, sans autre événement... » — « Six mois plus tard... »

Nous trouvons dans *Ursule Mirouët* un exemple typique des services que le temps rend à Balzac pour la progression du drame. Les incidents de l'exposition durent un mois, ceux de l'action, sept ans. Or, disons-le tout de suite : l'une et l'autre partie comportent exactement le même nombre de pages : nous expliquerons plus loin les motifs de cette disproportion. Que de nombreux hauts-faits, accomplis en trois ans vont être rapportés en quelques lignes ! Au mois d'octobre 1829, Savinien de Portenduère quitte sa fiancée Ursule, à Nemours, pour aller à Brest faire ses écoles de marin ; puis il s'em-

barque en qualité d'aspirant pour prendre part à la conquête d'Alger. Il s'y distingue, gagne la croix de la Légion
d'honneur, et revient près de sa fiancée couvert de gloire.
L'action du roman se déclenche avec tout ce potentiel.
Mais, deux années, pleines de joies secrètes, se passent
sans autre événement que le refus de Mme de Portenduère
au mariage de son fils avec Ursule Mirouët. Au mois de
décembre 1834, le Docteur Minoret, tuteur de la jeune
fille, quitte cette terre. C'est seulement après toutes
ces préparations que commence la crise définitive du
drame. Après chacune de ces étapes, une éclipse sollicite
notre imagination ; il faut obvier à ce défaut de clartés
par des rêves. Le lecteur est convié par l'auteur à broder
sur quelques indications un complément des destinées :
il s'associe à la création. Le romancier comprime l'énergie
qui fait éclater le dénouement. Ce résultat est souvent
notable dans *La Comédie Humaine*.

Aux dénouements foudroyants, tels qu'on en rencontre
dans les Contes de 1830, Balzac préfère de beaucoup
les dénouements à longue échéance où le temps donne
toute latitude à l'idée pour corroder une existence, à
la passion pour ravager peu à peu mais sûrement un
organisme. De tous les effets produits par cette lente
usure, arrêtons-nous à l'un d'eux, très caractéristique.
Il consiste à offrir deux silhouettes du même individu,
l'une au début, l'autre à la fin du roman. *Ursule Mirouët*
s'ouvre par un portrait du massif Minoret-Levrault,
le maître de poste de Nemours. Ce colosse se campe devant
nous. Sa violente carnation est un indice de son audace :
il ne connaît pour loi que l'enrichissement par tous les
moyens que ne pouvait atteindre le Code. A la fin du
roman, c'est un vieillard, « en cheveux blancs, cassé,
maigre, dans qui les anciens du pays ne retrouvent rien
de l'imbécile heureux que vous avez vu... au commencement de cette histoire ». Il fait songer à un chêne foudroyé.
Ces oppositions de portraits sont l'œuvre du temps maléfique : la sémillante Emilie de Fontaine *(Le Bal de
Sceaux)*, dédaigneuse comme le héron de la fable, se

résigne à épouser son vieil oncle septuagénaire, le vice-amiral de Kergarouët : à la fin du roman, elle apparaît domptée par son propre orgueil. Le vicaire Birotteau à la mine fleurie, heureux de savourer les joies matérielles de l'existence, fait contraste avec le curé Birotteau, goutteux, affalé dans son fauteuil d'égrotant où il attend la mort comme une délivrance.

Balzac élargit l'étreinte de l'exposition : il veut embrasser toutes les causes et les moindres détails qui précipiteront le dénouement. Il apporte tous ses soins à rendre intelligible l'incident générateur du drame proprement dit, à rendre inévitable la catastrophe finale. Il la provoquera, non sans avoir déclenché tous les ressorts capables de l'accélérer. C'est ce qu'on appelle *l'art des préparations*. Par une accumulation d'observations minutieuses, qui parfois semblent retarder la marche des événements, le destin, posté au détour pour asséner le coup mortel, se dresse comme un génie commandé par les circonstances, convoqué par les agissements des personnages. Ceux-ci rendent son intervention compréhensible, naturelle, en vertu d'une logique qui puise souvent ses arguments dans une métapsychie liée à la psycho-physiologie.

C'est par là que l'écrivain nous pénètre de la réalité romanesque, qu'il fait passer dans nos facultés intellectives et affectives le mouvement de son esprit et de son art. Il triomphe si nous sommes saisis nous-mêmes par l'enjeu mis en cause, si nous nous passionnons pour la réplique de tel personnage, grosse de menaces et de conséquences. Nous sentons que la crise a gonflé, pour ainsi dire, le potentiel de l'émotion. Un rien peut la faire éclater. La tension est parvenue au degré suprême. Telle parole, telle attitude, tel geste dont nous n'avions peut-être pas compris toute la portée, réapparaît un moment, se dégage de la masse des faits antérieurs, frappe notre entendement. Que Balzac ait emprunté l'idée première de ces préparations à Walter Scott, cela ne fait aucun doute. Mais par son art prestigieux, il sut ordonner cette complexité dans un équilibre qui se ressent du classicisme, lequel se détache des contingences afin de suivre une marche rationnelle.

Achevons de vérifier par les données d'*Ursule Mirouët* le bien-fondé des remarques antécédentes. Ce roman est à la fois une étude de mœurs provinciales, dans les milieux de la bourgeoisie et de la noblesse ; une étude de caractère : l'homme âpre au gain et avide de richesse chez Minoret-Levrault ; une idylle qui amène l'étude de l'amour naissant chez une charmante fille, Ursule Mirouët. L'intrigue principale s'enroule autour d'un héritage sordidement convoité par toute une parenté. Trois héritiers collatéraux et leur famille trament des complots autour de l'oncle à héritage ; ils veulent l'empêcher de léguer sa fortune à sa pupille Ursule. Minoret-Levrault manœuvre sans cesse pour lui imposer comme mari son fils Désiré, afin que rien ne soit perdu pour la succession. Mais deux autres prétendants, nullement parents, se placent sur les rangs. Pour corser les intrigues, Balzac utilise ses connaissances juridiques en matière successorale : il se souvient qu'il a été clerc de notaire. C'est un notaire, Dionis, homme fin et faux, secrètement associé à l'un des héritiers avec lequel il pratique l'usure, qui leur donnera à tous les trois, des conseils astucieux pour déjouer les desseins du Docteur Minoret. Son premier clerc, Goupil, lui aussi envie la dot d'Ursule : il jure de la faire « crever de chagrin » si elle ne l'épouse pas. Soudoyé par Minoret-Levrault, il tourmentera de mille infamies, sous le voile de l'anonymat, l'innocente enfant. Cette meute de petits bourgeois de Nemours, mesquinement ambitieux, tiennent le pays par leurs alliances infiniment compliquées comme d'autres tenaient Issoudun dans *La Rabouilleuse* — qui est, pour une partie, lui aussi, le roman de l'héritage. Un autre élément très important s'annexe à l'exposition déjà si compliquée. L'un des chapitres de l'édition originale est intitulé

Précis sur le Magnétisme. C'est que le Docteur Minoret, qui jusque-là professait le matérialisme, se convertit après qu'un cas de seconde vue, observé scientifiquement chez l'un de ses confrères « à Paris, lui a démontré l'existence de l'âme et du monde spirituel ». L'influence de l'intelligent et très vertueux curé Chaperon, la piété d'Ursule, ramènent le vieil athée à la foi et à la pratique du catholicisme. Les phénomènes magnétiques joueront un rôle encore plus important dans le drame proprement dit. C'est l'intrusion du dogme surnaturel dans la conduite des événements. L'exposition nous fait de plus assister à la naissance d'une intrigue amoureuse sans que nous en puissions deviner l'issue. Elle ruinera les plans des héritiers. Ursule à seize ans s'éprend du vicomte Savinien de Portenduère, dont la mère habite juste en face du Docteur Minoret. Les deux jeunes gens ne se sont « jamais rien dit », mais les yeux ont leur langage et leur éloquence. Le préjugé aristocratique, très fortement ancré dans la tête et le cœur de Mme de Portenduère, « une Kergaroüet », paraît un obstacle infranchissable. De plus, pour le moment, le vicomte est enfermé à Sainte Pélagie pour des dettes causées par quelques frasques. C'est l'occasion pour le romancier de nous raconter, par un retour en arrière, toute l'histoire de la famille Portenduère. Miracle de l'amour paternel : le docteur, s'il n'est que l'oncle d'Ursule, nourrit pour elle une tendresse de père ; miracle du premier amour au cœur d'une jeune fille : l'oncle part pour Paris avec Ursule, paie les dettes de Savinien, obtient la levée d'écrou, et le ramène. L'exposition est achevée. « S'il faut appliquer les lois de la scène au récit, l'arrivée de Savinien, en introduisant à Nemours, le seul personnage qui manquât encore à ceux qui doivent être mis en présence dans ce petit drame, termine ici l'exposition ».

Il nous est loisible maintenant de constater toutes les conditions que Balzac juge nécessaires à la structure des expositions. Tout d'abord il cherche des *contrastes.*

Ils formaient à ses yeux l'une des réalités essentielles
de la vie, et l'un des moyens artistiques le plus fertile
en effets parce qu'il assure au drame un jeu d'antago-
nismes continuels. Ils abondent ici. C'est d'abord le plan
du roman présenté en dyptique, deux parties, deux
tableaux : *Les Héritiers alarmés*, *La Succession Minoret*.
Chacun des clans s'oppose à l'autre. Le clan du Docteur,
de sa pupille et de leurs amis, le curé et le juge de paix,
en lutte avec le clan des héritiers et de leurs conseillers,
le notaire et son premier clerc. Dans chaque groupe se
manifestent des oppositions intestines : le matérialisme
du médecin face à la foi profonde du curé, le libéralisme
démocratique de Savinien de Portenduère face au préjugé de sa mère. Trois prétendants font face à Savinien.
Tout cela nous promet des conflits. Que d'intrigues sont
amorcées ! Les titres qui figuraient dans l'édition originale en tête de chaque chapitre rendent sensible l'annonce
des orages qui se préparent. 1º *Les Héritiers alarmés*,
2º *L'oncle à succession*, 3º *Les amis du docteur*, 4º *Zélie*
(femme du maître de poste), 5º *Ursule*, 6º *Précis sur le
magnétisme*, 7º *La double conversion*, 8º *La Consultation*
(donnée par le notaire et par le premier clerc aux héritiers), 9º *La Première confidence* (d'Ursule sur son amour
pour Savinien, faite au docteur, son tuteur), 10º *Les
Portenduère*, 11º *Savinien sauvé* (de prison par le docteur
Minoret).

   Le second moyen que Balzac met en œuvre ici est la
description : nous savons déjà tout ce qu'il lui fait rendre.
Elle appartient d'abord aux « lois de la poétique moderne
de la couleur locale ». L'écrivain pousse *la vérité du réalisme* — son aveu est précieux — jusqu'à l'extrême limite
des convenances quand il s'agit, par exemple, de répéter
« l'horrible injure mêlée de jurons » qui échappe au Maître
de Poste Minoret-Levrault. Le roman débute par une
description de la petite ville de Nemours : Minoret-
Levrault est campé sur le pont du canal, à l'entrée de
la ville, impatienté d'attendre l'une de ses diligences.
C'est un portrait en pied, le premier de la galerie où nous

sont présentés un par un, groupe par groupe, tous les
acteurs du drame. Nous les connaissons. Ils sont peints
avec les particularités de leur physionomie, de leur
costume et de leurs accoutrements, dans les attitudes
et les gestes qui trahissent les qualités et les vices de
l'âme, avec leur langage : l'extérieur est le signe de l'intérieur, aussi bien pour les personnes que pour les maisons, les objets matériels et la nature.

On comprend que cette surcharge de faits nécessite
de nombreux *retours en arrière* : le romancier a dû inter-
caler bien des monographies, — n'oublions pas le *Précis
sur le Magnétisme* — pour nous renseigner sur tant de
gens, sur leurs antécédents et leurs passions ; prendre,
si l'on ose dire, son dispositif de bataille pour déchaîner
l'attaque et la mêlée. Si l'on songe que cette mise en place
s'appuie sur des faits dont la durée n'excède pas un mois,
de la mi-septembre à la mi-octobre 1829, on ne s'étonne
plus qu'elle exige plus de la moitié du volume, onze
chapitres sur vingt et un, alors que l'action s'étagera
sur huit années, de 1829 à 1837. Examinons par quel
procédé il amène la progression de celle-ci.

« L'action commença par le jeu d'un ressort tellement
usé dans la vieille comme dans la nouvelle littérature
que personne ne pourrait croire à ses effets en 1829 s'il
ne s'agissait pas d'une vieille Bretonne, d'une Kergarouët, d'une émigrée ! » Ce ressort c'est la mésalliance.
Balzac amorce en ces termes le conflit qui met aux
prises tous les personnages du roman. Une nouvelle
intrigue se mêle à la principale ou plutôt enroule ses
lianes autour d'elle, c'est-à-dire les scènes, les incidents,
les péripéties que soulèvera l'amour d'Ursule et de Savinien. Loin de dédoubler l'intérêt, celui-ci le renforce.
Ce projet de mariage devient l'enjeu de la bataille qui
se livre entre le couple amoureux et ses amis, d'une part,
et les héritiers et leurs affidés d'autre part. S'il avorte,
c'est le triomphe de ceux-ci. S'il réussit, c'est la perte
de l'héritage. L'intrigue matrimoniale devient le *substitut*

de l'autre. Les termes d'école qu'employait Voltaire en
parlant de la tragédie d'*Œdipe* peuvent être appliqués
à *Ursule Mirouët*. Ce roman est « simple » parce qu'il
« n'a qu'une seule catastrophe » *(l'horrible défaite des
héritiers)*, et « implexe » parce qu'il a la lutte amoureuse
« avec la péripétie ». Ces renversements de situation, ces
changements subits abondent ; ils sortent les uns des
autres, ils sont impliqués tour à tour, et simultanément
dans l'action. Mme de Portenduère est intraitable sur la
question mésalliance, et le déclare nettement à son fils.
Le Docteur Minoret, offusqué de ce dédain, essaie de
détourner sa nièce de son rêve. Plus croissent les oppositions, plus Savinien redouble de volonté tenace dans
son projet. Etant donné que le mariage est la clef de
l'héritage, des implications nouvelles vont s'y entrela-
cer : Savinien compte trois rivaux à la main d'Ursule.
L'un d'eux, Goupil, y ayant renoncé, sert, par intérêt,
le parti de son compétiteur. Enfin, Mme de Portenduère
finira par donner son consentement, à la suite de
persécutions atroces endurées par Ursule après la mort
de son oncle : la jeune fille révèle alors la noblesse de son
cœur. Les péripéties vont se succèder alors à une
cadence nettement accélérée avec l'horrible grouillement des formes visqueuses que prennent dans l'ombre,
comme des reptiles, les héritiers, ces créatures mauvaises. Comme le dit excellemment Joachim Merlant :
« Elles s'allient sournoisement, elles consentent à des
compromis, elles se trahissent, elles se lancent des défis ;
c'est une guerre qui met en jeu les énergies les plus passionnées, les plus violentes, tout comme le pourrait faire
un intérêt grandiose, débattu entre gens de haut lignage.
Le crime ne les arrête pas ; Minoret-Levrault, espèce
d'Hercule, conduit par une épouse vipérine, volera le
testament qui avantage Ursule ». Tout semble bien
fini, alors que tout va rebondir.

Arrêtons-nous pour tirer quelques conclusions. Si l'art
de composer une intrigue est évidemment un art inférieur,

arrivés à cet endroit du roman, il nous faut reconnaître que Balzac le pratique ici avec maîtrise. Nous avons dit pourquoi : les mouvements de ses intrigues sortent des caractères, les mettent en valeur ; de plus ils excitent l'attention, la curiosité, l'émotion par la situation tragique où il place le couple amoureux et surtout l'héroïne. Le mérite d'un roman n'est pas dans l'intrigue. Celle d'*Une Ténébreuse Affaire* est admirablement composée, mais celle de *La Femme de Trente ans* est une juxtaposition d'épisodes, et pourtant le visage de cette femme douloureuse, prend un relief d'un pathétique extraordinaire à la fin du roman. On peut en dire autant d'*Eugénie Grandet* ou du *Curé de Tours*. Pourtant, la qualité de ces chefs-d'œuvre vient en partie de ce qu'il n'y a pas d'intrigue. Balzac étale devant nous, met à nu avec intensité dramatique, des âmes travaillées par la passion dont les moindres détours se manifestent. En fouillant le cœur humain, il y découvre des connivences involontaires, suscitées par des réflexes.

Chez Grandet, l'intelligence du vice est contrecarrée par l'intelligence du cœur que donne à sa fille l'amour naissant. Du servage résigné que lui impose le joug paternel, de son effacement, de sa placidité moutonnière, Eugénie accède à la fière indépendance, au courage altier. Par l'énergie qu'elle puise dans son sentiment nouveau, elle défie la tyrannie de l'avare et lui oppose une force semblable à la sienne. Mais cette force sommeillait dans le sang que son père lui avait transmis. Du même principe sont issues deux passions adverses. Il en va de même dans *La Recherche de l'Absolu* entre Claës et sa fille Marguerite.

Beaucoup de romans n'ont qu'une intrigue très faible : les romans mystiques, *Louis Lambert*, *Séraphîta*, *Les Proscrits* ; plusieurs romans didactiques, *Le Médecin de Campagne*, *L'Envers de l'Histoire Contemporaine*, *Le Curé de Village*. Dans ce dernier, elle n'est aperçue que par ses conséquences. La discrétion du romancier sur la liaison des deux amants produit des effets à retardement,

A peine soupçonnée par certains indices qu'on devine dans le clair obscur des allusions, la vérité se manifeste au grand jour par les aveux de Véronique Graslin, dans sa confession publique. Dans *Le Cousin Pons*, l'intrigue concernant le mariage manqué de Mlle Camusot de Marville avec Brunner, réussi avec le vicomte Popinot, est d'un faible intérêt ; elle eût été facilement remplacée par un autre motif de brouille entre les Camusot et Pons. Ces exemples nous permettent d'alléguer qu'une intrigue ne doit pas être considérée comme le point crucial par où l'on puisse apprécier la valeur romanesque. Au reste, il est notable que le talent de Balzac, quand ce dernier le veut, n'est point inférieur dans la fertilité de l'invention. Sa souplesse s'est pliée avec aisance, avec bonheur, aux complications d'*Ursule Mirouët*, tout en substituant au drame d'un héritage un intérêt nouveau, la réussite d'un amour. Il les noue, les amalgame si fortement que l'attention se déplace sans que pour cela se produise un disparate. *Béatrix*, *Illusions Perdues*, *Splendeurs et Misères des Courtisanes*, et par dessus tout *La Cousine Bette*, en fourniraient aussi bien de multiples exemples.

Les péripéties d'*Ursule Mirouët* s'enchaînent étroitement. L'art fait appel au moindre petit fait dont la résonnance parfois envahit un caractère. Toute la complication sort d'un mouvement de la conscience. Ainsi s'ouvrent les hostilités contre Minoret-Levrault, le voleur du testament : le remords empoisonne sa conscience. Tous les incidents se grefferont là-dessus. De cette source invisible jailliront toutes les péripéties. Sans ce trouble psychophysiologique les apparitions du docteur Minoret n'auraient pu s'accrocher vraisemblablement à l'intrigue, d'autant que le coupable s'efforçait de dérober à tous son inquiétude morale. Par là s'affirme la profondeur tragique d'une conception humaine dans le drame : la façon dont les événements extérieurs mordent sur l'âme leur confère un poids d'éternité : « La justice humaine est le développement d'une pensée divine qui plane sur les mondes »,

Nous savons les ressources qu'apporta le fantastique à Balzac, qui le hausse à la valeur du romanesque scientifique tout en lui conservant une influence mystique. Ce qui est regrettable, du point de vue exclusivement artistique, c'est qu'il n'ait jamais pu se passer de ces données étranges pour faire évoluer le caractère d'un converti. Il confond grâce et psychose. A cause de cela, il ne nous a jamais offert le vrai roman de la conversion, qu'il a souvent tenté, et deux fois dans *Ursule Mirouët* : pour le Docteur Minoret et pour Minoret-Levrault.

Lorsque, dans *Illusions Perdues*, après avoir écouté « religieusement » Lucien de Rubempré, lire « pendant sept heures » le manuscrit de son premier roman, *L'Archet de Charles IX*, d'Arthez porte un jugement sur cette œuvre, c'est à la forme des dialogues que tout d'abord il s'arrête. « Si vous voulez ne pas être le singe de Walter Scott, il faut vous créer une manière différente, et vous l'avez imité. Vous commencez, comme lui par de longues conversations pour poser vos personnages ; quand ils ont causé, vous faites arriver la description et l'action. Cet antagonisme nécessaire à toute œuvre dramatique vient en dernier. Renversez-moi les termes du problème. Remplacez ces diffuses causeries, magnifiques chez Scott, mais sans couleur chez vous, par des descriptions auxquelles se prête si bien notre langue. Que chez vous le dialogue soit la conséquence attendue qui couronne vos préparatifs. Entrez tout d'abord dans l'action ». Balzac se faisait ici son propre censeur. Par l'intermédiaire de d'Arthez, il notait l'évolution du dialogue à travers ses romans de jeunesse. Ce procédé n'est qu'un jeu sans consistance dans *L'Héritière de Birague* ; il devient dans *Argow* et dans *Wan Chlore*, et plus tard dans *Le Corrupteur*, la traduction animée de sentiments qui influent sur l'action. C'est dans *Les Chouans* que se vérifie dans sa plénitude, dans sa richesse, tout ce que le dialogue apporte de ressources variées pour multiplier l'intérêt ;

il ouvre des jours sur l'âme des interlocuteurs, personnages principaux ou secondaires; il différencie leur condition grâce à la propriété de leur langage et de leur vocabulaire; il résume les situations et en marque la progression; il crée une atmosphère; il pénétre l'intrigue d'une angoisse qui déteint sur l'action. « Les paroles » ... « sont le germe ou le fruit des faits », comme chez les personnages de Walter Scott ». Elles « agrandissent tout, le pays, la scène »; ainsi les propos des deux amants Montauran et Marie de Verneuil *(Les Chouans)*, répandent sur l'ambiance, même physique, je ne sais quel air de mystère, quels frémissements dramatiques. Le dialogue devient comme la trame de l'exposition où se brochent les éléments nécessaires à la connaissance des événements historiques, à la présentation des acteurs.

Dès lors, le romancier possède la bonne formule. Il en perfectionnera la technique. Il serrera de plus près la réalité en mettant sur les lèvres des interlocuteurs des expressions qui sont les indices de leur fonction, de leur milieu corporatif : ce sont des particularités sociales ou des tics personnels, parfois des mots de caractère, comme dans les comédies de Molière. On en trouvera dans *La Maison du Chat-qui-pelote*, *Une Double Famille*. Ecoutez Mme Guillaume devant la toile que Sommervieux expose au Salon ; elle représente la Maison du Chat-qui-pelote : « Voilà ce qu'on gagne à tous ces spectacles, des maux de tête ! Est-ce que c'est bien amusant de voir en peinture ce qu'on rencontre tous les jours dans notre rue ».

Un autre type de dialogue apparaît dans *Le Curé de Tours* : c'est « un duel de paroles » : *ce que l'on dit* est tout le contraire de *ce que l'on pense*. « Sous des phrases en apparence insignifiantes », les deux antagonistes, la Baronne de Listomère et le vicaire général Troubert, se cachent mutuellement leurs pensées. Balzac a cru bon, de traduire en clair dans l'édition de 1835, ces sous-entendus : il intercale après chaque réplique, et en italique, le sens, la teneur pourrait-on dire de ces intentions secrètes.

Qui ne voit ici la *technique théâtrale* prêter à l'auteur son jeu scènique ? On croit entendre le ton des répliques, on évoque les gestes qui sont indiqués par l'auteur. Ce procédé est sensible quand il s'agit de dévoiler l'astuce des coquetteries féminines, dont la Duchesse de Langeais par exemple, est prodigue à l'égard du général de Montriveau. *Eugénie Grandet* (1833) et *Le Père Goriot* (1834) abondent en mots de caractères. Dans *César Birotteau* (1837) l'exposition s'ouvre sur une scène de comédie, Mme Birotteau s'éveille au milieu de la nuit et s'aperçoit que son époux a quitté la couche conjugale. Suit un monologue — est-il prononcé ? est-il la traduction de son état mental ? — qui nous renseigne sur le caractère du mari tel que le juge sa femme. Puis Constance Birotteau se lève affolée, et trouve César, en robe de chambre, mesurant les dimensions de son appartement qu'il.veut agrandir, transformer, embellir, ainsi que sa boutique, car il a conçu des projets d'enrichissement mirifiques. Tout cela est exposé dans une longue conversation entre les deux époux. Par ce moyen, nous connaissons leur caractère à tous deux, leur situation. Ce dialogue-exposition ne comporte pas moins de douze pages. Désormais Balzac saura tirer du dialogue les effets les plus saisissants, l'adapter aux circonstances dramatiques, en susciter par lui de nouvelles, en commenter les conséquences sous une forme légère ou grave, conforme aux situations. On peut ouvrir n'importe quel roman pour s'en convaincre et admirer sa virtuosité. Dans une chronique de *La Revue Parisienne* (1840), il reproche à Eugène Suë ses maladresses dans l'emploi de ce procédé... « Le dialogue, disons-le hautement, est la dernière, des formes littéraires, la moins estimée, la plus facile ; mais voyez jusqu'où Walter Scott l'a élevée. Il l'a fait servir à achever des portraits ». Sûr de lui, Balzac en parlait à son aise, et nous pensons qu'en proférant ce jugement il faisait un retour d'amour-propre sur son art à lui. Nous savons maintenant qu'il ne l'avait acquis que par des essais répétés. Quelle souplesse, quel réalisme dans la

teneur et l'agencement des dialogues ! Qu'on relise *La
Vieille Fille*, *La Rabouilleuse* et tant d'autres romans.
On peut appliquer à *La Cousine Bette* la qualification dont
Balzac se sert pour caractériser le genre de Walter Scott,
un « drame dialogué ». Nous passons sous silence bien
des remarques utiles. Quelques critiques sont trop
prompts à qualifier maints dialogues de *La Comédie
Humaine* de conventionnels, inadmissibles ou mécanique-
ment motivés par les caractères (1). Ils ne prêtent point
attention à tous les genres — nous nous sommes arrêtés
aux principaux seulement — que le génie de Balzac
inventa, pour faire de son œuvre, non seulement le
miroir, mais encore, oserons-nous dire aujourd'hui, la
reproduction radiophonique des scènes quotidiennes qui
se passaient de son temps dans tous les milieux.

La technique théâtrale influença l'art romanesque
de Balzac, et de très bonne heure. On en relève les
traces dans les romans de jeunesse : *Clotilde de Lusignan*, *Le Vicaire des Ardennes*, *Argow-le-Pirate*, contiennent de nombreuses scènes dialoguées, des subterfuges, retournements de situation, jeux, répliques et
mots propres à la scène ; des duos sentimentaux entre
amoureux, des interventions soudaines où le personnage
fatal, *deus ex machina*, dénoue les imbroglios, tous procédés importés du mélodrame. Ils reparaîtront dans
plusieurs *Scènes de la Vie Privée* (1830), par exemple
La Vendetta, *L'Elixir de Longue Vie*, *La Grande Bretèche*
où se passent des crimes horribles. *La Duchesse de Langeais* (1833) offre encore un exemple typique — et
regrettable — de ces manèges affreux et par trop faciles,
quand Montriveau « comme un tigre sûr de sa proie »
menace Antoinette de Langeais des pires supplices, après
l'avoir enlevée à la sortie d'un bal.

Mais Balzac emprunte à la comédie aussi ; il abuse

---

(1) Cf. Entre autres, André Gide, *Pages de Journal (1929-1932)*,
pp. 68-69, à propos d'*Eugénie Grandet*.

du jargon propre à chaque classe, à chaque métier ;
il imite trop volontiers l'accent tudesque chez le Baron
Nucingen, chez Wilhelm Schmucke, un musicien, grand
ami de Sylvain Pons. *La Maison Nucingen* consiste d'un
bout à l'autre dans une conversation tenue à la table
d'un restaurant entre un caricaturiste, Bixiou et deux
journalistes, Blondet et Finot. L'humour, la rosserie,
de virulentes apostrophes de Bixiou contre les accumulations déshonnêtes du capital, la finesse des remarques
psychologiques font de cette œuvre un échantillon étin-
celant de l'esprit... de Balzac. *Les Comédiens sans le
savoir* est une revue écrite avec infiniment de malice et
de drôlerie : on peut l'intituler les émerveillements d'un
méridional sur le boulevard des Italiens : il a pour cice-
rone un peintre. *La Cousine Bette,* par l'innombrable
diversité des individus qui envahissent la scène, présente
tous les caractères du grand drame : tous les genres s'y
mêlent, le comique, le tragique. Indiquons dans ce sens,
l'entrevue du Baron Hulot d'Ervy, directeur général au
Ministère de la Guerre. Il comparait devant le Ministre,
Maréchal Prince de Wissembourg, et aussi devant son
propre frère, le Maréchal Hulot, comte de Forzheim, deux
célèbres débris de l'Armée Impériale, deux camarades
et amis, pour s'entendre exécuter à cause de ses mal-
versations. La scène atteint une grandeur inouïe, où
l'émotion ne fait pas fi de détails familiers, très prenants.

Cette grandeur est dépassée dans la scène finale d'*Une
Ténébreuse Affaire*, où nous est offert le modèle du *dialogue animé*, animé par ce que j'appellerai les esprits du
lieu, par l'acuité des passions qui perce l'apparente
maîtrise des adversaires, par l'importance des intérêts
mis en jeu, et des personnages ennemis, par l'ambiance
extraordinaire de mouvements et de sonorités qui envi-
ronnent les protagonistes et concourent à former et modifier leurs sentiments. Réunir un ensemble de telles con-
jonctures est l'indice du génie. Tout en nous, les facultés
purement sensibles aussi bien que les plus nobles parties

de l'âme sont remuées jusqu'à la fibre la plus intime.
Pénétrons dans le vif de cette situation.

Les quatre cousins de Laurence de Cinq-Cygne, les deux
frères d'Hauteserre, avec lesquels, orpheline à treize ans,
elle avait été élevée, les deux de Simeuse, frères jumeaux,
ont été condamnés à mort pour avoir comploté contre
Napoléon. Trois d'entre eux sont amoureux de cette
blonde aux yeux du bleu le plus foncé, jolie et racée.
Amazone intrépide, comme Diana Vernon, l'héroïne de
Rob-Roy (Walter Scott) dont elle est comme une réplique,
âme d'acier dans un corps frêle. Laurence a noué, dans les
forêts du département de l'Aube, tous les fils de la cons-
piration et de l'insurrection, découvertes au dernier
moment par la police de Fouché. Elle hait, elle méprise
Napoléon ; elle a rêvé souvent d'aller l'assassiner elle-
même, en imitant le geste de Charlotte Corday, dont elle
a, pour s'exciter, placé le portrait au mur de son salon.
Elle a résolu cependant de faire grâcier les quatre
condamnés par l'Empereur. Munie par Talleyrand de
passeports diplomatiques, accompagnée d'un vieil et
chevaleresque parent, le marquis de Chargebœuf, elle
est parvenue, dans une vieille berline, jusqu'aux avant-
postes de l'armée, après avoir déjoué les embûches dres-
sées sur sa route par Fouché. C'est la veille de la bataille
d'Iéna. Ballottée dans cet océan de cent cinquante mille
hommes, la jeune fille est frappée de stupeur et d'étonnement par le déploiement de la splendeur militaire.
« L'homme qui animait ces masses prit des proportions
gigantesques dans [son] imagination » ; la pensée d'une
rencontre solennelle avec « l'homme du destin » l'effraie ;
son orgueil s'anéantit et elle se sent une toute petite
chose dans ce tohu-bohu. Le soir tombe ; cette « auda-
cieuse calèche » étonne les soldats. Un gendarme l'arrête ;
il en interpelle avec brusquerie les deux occupants.
« Qui êtes-vous ? où allez-vous ? que demandez-vous ? »
Laurence de Cinq-Cygne interroge deux officiers dont
l'uniforme était caché par des surtouts de drap : ils faisaient une reconnaissance du terrain. « Où sommes-nous ?

demande-t-elle. L'un d'eux dit : « Comment cette femme se trouve-t-elle là ? » La jeune fille devait s'apercevoir bientôt que, sans s'en douter, elle venait de parler à l'Empereur lui-même, et en des termes impertinents. Soudain, une escorte nombreuse et chamarrée, piaffante, déferle autour de la calèche. Généraux, maréchaux, officiers « respectèrent la voiture parce qu'elle était là ». « L'un des deux officiers, l'Empereur enfin, vêtu de sa célèbre redingote mise par-dessus un uniforme vert, était sur un cheval blanc richement caparaçonné. Il examinait avec une lorgnette l'armée prussienne au delà de la Saale ». « Laurence comprit alors pourquoi la calèche restait là » et pourquoi l'état-major « la respectait ». Les feux de bivouac commençaient de trouer la pénombre ; les armes la striaient d'éclairs. Pensant que l'entrevue était imminente, Laurence fut prise de mouvements convulsifs.

On regrette de mutiler ce magnifique morceau ; il eût fallu le citer tout entier pour en conserver l'intensité dramatique. Chaque détail a sa tonalité. Cette humble calèche, immobile comme un rocher au milieu d'un torrent, devient le symbole de l'audace déployée par cette « enfant », comme l'appellera tout à l'heure le César, maître de la vie et de la mort. Le dialogue se transporte ici et là, sur le terrain, se déplaçant avec les interlocuteurs. Les commandements, les ordres traversent l'atmosphère qu'emplit le bruit, formidable et sourd, du piétinement des masses, et des roulements des batteries. Quelle variété de sons et de tons ! Les traits descriptifs, jetés en passant par le narrateur ont leur langage ; ils sont comme des répliques aux paroles des figurants. Ils ont leur verbe magnétique, ils agissent comme des mots, sur la mentalité de ceux-ci. Le réalisme s'unit à la poésie, se confond avec elle. On dirige soi-même ses regards, on éprouve mille sensations devant ce spectacle immense, comme si l'événement se passait là sous nos yeux ; on croit y assister en chair et en os. Mieux qu'un récit historique cette scène dialoguée nous fait vivre la célèbre victoire. Et l'on se prend à regretter vivement que Balzac n'ait pas réalisé le projet qui le « tracassa » si longtemps à partir de 1830 : « Faire un roman nommé *la Bataille*, où l'on entend à la première page gronder le canon et à la dernière le cri de la victoire, et pendant la lecture duquel le lecteur croit assister à une véritable bataille, comme s'il le voyait du haut d'une montagne, avec tous les accessoires, uniformes, blessés, détails. La veille de la bataille et le lendemain. Napoléon dominant tout cela. Le plus poétique à faire est Wagram » *(Pensées, Sujets, Fragmens)*. L'esquisse présente certifie que le talent de Balzac n'était point téméraire. On comprend qu'il ait écrit à Stendhal lorsque parut *La Chartreuse de Parme* où figure le récit de la bataille de Waterloo : « Oui, j'ai été saisi d'un accès de jalousie à cette superbe et vraie description de bataille que je rêvais pour les *Scènes de la Vie Militaire*, la plus difficile portion de mon œuvre, et ce morceau m'a ravi, chagriné, enchanté, désespéré ».

Il faudrait compléter notre démonstration du dialogue animé, par le commentaire de celui qui s'établit entre Napoléon et Laurence de Cinq-Cygne. L'audience a lieu dans une « misérable chaumière », quelques heures avant que les deux armées engagent l'action. On y retrouve les mêmes caractères que dans la scène précédente. Ce tête à tête de l'homme « à la figure césarienne, pâle et terrible », et de la frêle suppliante s'agenouillant pour solliciter la grâce ardemment désirée, est alertement raconté. Entre les deux partenaires, tous deux indomptables à leur manière, les répliques jaillissent du tréfonds, en phrases hachées. La psychologie des deux personnages se découvre par éclairs. On voudrait reproduire ce dialogue. Puis l'Empereur, prenant Mlle de Cinq-Cygne par la main, l'emmène sur le plateau d'où l'on domine les armées qui vont entrer en lutte dans quelques instants. « Avec son éloquence à lui qui changeait les lâches en braves », il justifie sa sévérité à l'égard des quatre révoltés, dont il a laissé entendre qu'ils seraient pardonnés : « Sachez, Mademoiselle, qu'on doit mourir pour les lois de son pays, comme on meurt ici pour sa gloire ».

Imaginez cette scène au cinéma. Les visions intérieures se succèdent plus rapides que la pensée du spectateur : chaque mot creuse un peu plus les sentiments des deux protagonistes dont les changements d'attitude sont soigneusement décrits. On remarque, à la lecture, qu'un commentaire survient à chaque réplique ; un acteur le traduirait d'un geste. C'est bien là du théâtre, ou mieux encore un film sonore. Toute l'admiration de Balzac pour la mémoire de Napoléon qu'il entourait d'un culte idolâtre se manifeste dans la conclusion du dialogue. Cette phrase est digne d'un grand chef de guerre et d'un profond philosophe. Elle donne au drame une haute valeur morale ; elle tente de légitimer bien des actes antérieurs qui restent le fait du prince. Du seul point de vue technique, cette scène est frémissante. Elle porte l'empreinte de la force qui pour Balzac était la première condition de tout gouvernement, royal, impérial, républicain. Du biais où nous l'avons abordée, elle mérite, à son auteur, le titre d'excellent et puissant dramaturge.

Il nous faudrait signaler encore le rôle des monologues où les personnages trahissent la violence de leurs passions. Elle fait jaillir sur les lèvres de Gobseck, de Grandet, dans le désordre de l'esprit, une âcre volupté devant l'or tant convoité, tant chéri ! Qui ne connaît les plaintes désespérées, convulsées, les malédictions, puis les bénédictions qui s'emmêlent dans une folle rage, quand le père Goriot, à l'agonie, attend en vain ses deux filles pour leur donner un dernier baiser ? On ne peut pas imaginer un pathétique plus brûlant, une image du désir plus véhément. Il y aurait beaucoup d'autres remarques à faire sur le grossissement des lignes dans les portraits, propre à l'optique théâtrale. Par contraste, quelles paroles émouvantes de simplicité, de grâce, de souffrance, la vicomtesse de Beauséant adresse à Rastignac, au moment d'affronter ses invités, au dernier bal qu'elle offrira !

Tous les grands de ce monde sont venus se repaître de son martyre : son amant, d'Adjuda-Pinto, lui a signifié la rupture quelques heures plus tôt : c'est la fable de tout Paris. A cinq heures du matin, avant de monter dans la berline qui l'emportera dans un château de Normandie, tombeau de son bonheur anéanti, elle fait ses adieux à la duchesse de Langeais et à Rastignac. Elle parle comme une humble femme, sans rien de factice. Balzac a su trouver les mots communs à la vraie douleur, sans artifice ni pose. Il montrait que son art était capable de traiter par touches très délicates les nuances fugitives du cœur féminin.

Ne doit-on pas s'étonner après cela que Balzac, dans ses tentatives d'auteur dramatique, ait été si malchanceux ? Depuis sa jeunesse, il fut hanté par l'ambition d'acquérir la renommée par des comédies et des drames : rappelons sa tragédie de *Cromwell* (1820). Il était convaincu que des pièces de théâtre, « dont les revenus sont énormes comparés à ceux que nous font les livres », lui procureraient la fortune *(à Mme Hanska*, 1835). De là des projets sans nombre, des canevas de comédies : il en est assailli. Plusieurs furent menés à bonne fin : *L'Ecole des Ménages* (1837), qui ne fut acceptée dans aucun théâtre ; *Vautrin* (1840), qui fut interdit par le Ministre de l'Intérieur, après la première représentation ; *les Ressources de Quinola* (1842), qui n'eurent pas de succès, *Paméla Giraud* (1843), *La Marâtre* (1848), qui ne fut jouée que six fois, *Mercadet (le Faiseur)*, qui ne fut monté qu'après la mort de Balzac, après avoir été remanié. Au théâtre le grand romancier n'a connu que des échecs. Son imagination trop vaste ne sut pas se plier à la technique spéciale : le raccourci, la synthèse, la brièveté, la simplification étaient contraires à son génie d'analyste minutieux. Son œuvre romanesque est « un trésor inépuisable de situations poignantes, d'observations profondément creusées ». Fait étrange ! De ces éléments tout préparés il n'a pas su tirer parti. Ils ont profité à d'autres. Beaucoup de ses romans ont été mis à la scène. M. Douchan Z. Milatchitch, dans ses thèses sur le *Théâtre d'H. de Balzac*, conclut que « le temps » manquait au génial romancier pour réussir sur la scène : il lui eût fallu consacrer au théâtre les mêmes efforts qu'au roman. Moyennant quoi, il aurait pu transformer le genre dramatique de son époque. Ses tentatives « laissent pressentir des chefs-d'œuvre ».

CHAPITRE III

LE STYLE DE BALZAC

Exalté par les uns, attaqué par les autres en plus grand nombre, le style de Balzac soulève une question fort débattue. Un bref aperçu de sa complexité portera le lecteur à l'approfondir ; une simple mise au point des griefs sur lesquels se fonde une opinion de parti pris et trop généralisante, pourra solliciter un chacun d'entreprendre son enquête à travers *La Comédie Humaine* afin de porter un jugement personnel. Cela vaudra mieux que de répéter sur la foi d'autrui une formule d'emprunt. Je l'ai trop souvent entendue cette sentence prononcée avec une assurance imperturbable, « Balzac est un mauvais écrivain, son style est lamentable ». S'il m'arrivait de demander les motifs de cette sévérité, on alléguait neuf fois sur dix la réponse qu'adresse Henriette de Mortsauf à son admirateur Vandenesse, trop pressant, trop brûlant : « Ma confession ne vous a-t-elle donc pas montré les *trois* enfants auxquels je ne dois pas faillir, sur lesquels je dois faire pleuvoir ma rosée réparatrice et faire rayonner mon âme sans en adultérer la moindre parcelle. N'aigrissez pas le lait d'une mère ! » En fait de pathos, il n'y a pas mieux : cette saveur malsaine importe peu à Jacques et à Madeleine qui ont plus de dix ans, et au troisième enfant, qui est leur père... Cette induction, à elle seule, est un appui trop débile pour sou-

tenir un jugement aussi massif, il s'alourdit encore de
tout le poids que représentent les quarante tomes de
La Comédie Humaine, plus les *Œuvres Diverses* et la *Correspondance*. Un tel arrêt ne clôt pas le débat dont je
vais produire les attendus, les principales pièces à conviction, les témoignages les plus importants.

Sainte-Beuve, dans un article à la *Revue des Deux
Mondes*, 15 novembre 1834, estime qu' « il est temps d'en
venir... au romancier du moment par excellence... L'auteur de *Louis Lambert* et d'*Eugénie Grandet* n'est plus
un talent qu'il soit possible de rejeter et de méconnaître ».
Le critique prend la matière de son examen dans tous
les ouvrages parus depuis *Le Dernier Chouan* (1829) :
la *Physiologie du Mariage*, *La Peau de Chagrin*, les *Scènes
de la Vie Privée*, les *Contes philosophiques*, *Le Médecin
de Campagne*, enfin *La Recherche de l'Absolu* ; ce roman
prête son titre à l'article. Sainte-Beuve reproche à Balzac
de n'avoir pas « le dessin de la phrase pur, simple, net
et définitif ; il revient sur ses contours, il surcharge ;
il a un vocabulaire incohérent, exubérant, où les mots
bouillonnent et sortent comme au hasard, une phraséo-
logie physiologique, des termes de science, et toutes
les chances de bigarrure ». Et de citer malicieusement
quelques échantillons. Je détache celui-ci : « des phrases
jetées en avant par les tuyaux capillaires du grand conciliabule femelle » *(Curé de Tours)*.

Après la mort du romancier, nouveau, long et définitif article, dans *le Constitutionnel* du 2 septembre 1850 :
Sainte-Beuve énonce la loi qui régit le style de Balzac,
en l'opposant à celui des écrivains du XVIIe et XVIIIe
siècles. Ceux-ci « n'écrivaient qu'avec leur pensée, avec
la partie supérieure et toute intellectuelle, avec l'essence
de leur être ». Pour Balzac, sa « personne, son organisation tout entière s'engage et s'accuse elle-même jusque
dans ses œuvres ; il ne les écrit pas seulement avec sa
pure pensée, mais avec son sang et ses muscles ». Tout
est dit : la formule est saisissante, colorée : elle est d'un

sens si profond qu'elle s'imposera désormais. Nous la
verrons reproduite à maint exemplaire, Le style devient
l'affaire du tempérament, de la nature, et Balzac avait
« une nature riche, copieuse, opulente ». Les critiques
les plus célèbres répètent encore aujourd'hui ce dernier
qualificatif ; grâce à Sainte-Beuve, il est devenu une
épithète homérique et balzacienne. Ce style se ressent
de toutes les humeurs qui circulent dans cette organisation « herculéenne », « luxueuse ». Néanmoins, « il est fin,
subtil, courant, pittoresque..., sans analogie aucune avec
la tradition ». Il est assez souvent audacieux, compliqué,
surchargé, gonflé d'exagérations, mêlé, trouble, trivial,
incorrect. Sainte-Beuve « se demande l'effet que pro-
duirait un livre de M. de Balzac sur un honnête esprit
formé à la lecture de Nicole, de Bourdaloue, à ce style
si sérieux et scrupuleux, *qui va loin*, comme disait La
Bruyère ; un tel esprit en aurait le vertige pendant un
mois ». La première qualité d'un écrivain c'est « le goût
avant tout ». Les échantillons prélevés démontraient
que Balzac en manquait souvent.

La seconde qualité, c'est la mesure : l'artiste « domine
et régit son œuvre », et « reste supérieur à sa création ».
« Enivré » des siennes, l'auteur de *La Comédie Humaine*
se laisse emporter par elles ; il tombe dans l'illusoire et
la démesure. Son style alors devient « chatouilleux et
dissolvant, énervé » ; c'est « un style d'une corruption
délicieuse, tout asiatique, comme disaient nos maîtres,
plus brisé par places et plus amolli que le corps d'une
mime antique » ; tout aussi bien du point de vue gramma-
tical que moral ; le censeur souligne, *il s'y en va de la vie*,
et quelques expressions trop alambiquées. Sainte-Beuve,
dans un appendice à son *Port-Royal* (1860), insistait à
nouveau sur « le manque de justesse », le « grossissement
de coup d'œil », les « faux airs de science » qui affectent
la diction chez Balzac dont « on saisit à nu le côté
moderne ».

Bien qu'il fût plus sévère encore sur d'autres points,
le critique ne se doutait pas que sa perspicacité servait

d'avance la mémoire de sa victime : si l'avenir devait démentir certains d'entre eux, ses jugements — sur le style — devaient servir de tremplin à ses successeurs. Ses remarques étaient si justes qu'elles devaient s'imposer à ceux-ci. Ils en tirèrent, sans toujours nommer Sainte-Beuve, des conclusions adaptées à leurs théories littéraires ou autres. Certains pénétrèrent plus avant dans l'intelligence et la portée de ces signes. Depuis Sainte-Beuve, ces maladresses furent admises, non plus soumises à révision : manque de goût, manque de mesure, abus des termes physiologiques, scientifiques, techniques : voilà le bilan des défauts. Ce style rompt avec la tradition parce qu'il jaillit de tout l'être, qu'en lui renaissent les états d'une âme : pensées, émotions, tendances, passions, instincts. Balzac écrit à sa guise ; elle est toute moderne parce que voulant dépeindre les gens de son siècle, il doit reproduire leur vocabulaire ; sa palette s'adapte aux aspects nouveaux des mœurs. Les cadres de la Société, les manières, les besoins, les habits, les ustensiles même se sont transformés rapidement depuis la grande Révolution, avec les progrès scientifiques ; la mentalité de chaque classe s'en est ressentie. Etant le premier qui voulut embrasser cette diversité, il dut inventer un instrument d'une souplesse égale à ses analyses minutieuses ; des métaphores colorées pour rendre les moindres nuances du monde extérieur, le relief des traits saillants, signes physiognomoniques. Laissons de côté les critiques secondaires, pour nous attacher aux maîtres.

Taine dans ses *Nouveaux Essais de Critique et d'Histoire*, s'arrête longuement au style de Balzac. Cette brillante étude parut d'abord au *Journal des Débats*, février 1858 ; elle fera toujours autorité. Comme Sainte-Beuve, Taine donne de nombreux exemples de style amphigourique. Retenons celui-ci : « Caroline est une seconde édition de Nabuchodonosor ; car un jour, de même que la chrysalide royale, elle passera du velu de la bête à la férocité de la pourpre impériale. Cela veut

dire qu'une femme bête peut devenir méchante. Les
filles de Gorgibus, parlaient ainsi ». Vers 1830, la jeune
Ecole littéraire triomphait sur les tenants de l'esprit
et de la tradition classiques et de la sobre ordonnance.
Taine, après Sainte-Beuve, les oppose aux aspirations
tumultueuses, aux sentiments capricieux, aux curiosités
les plus variées d'un vaste public, très mêlé. Balzac
n'a pas pour auditoire les habitués des salons, gens élé-
gants, polis, discrets. C'est à la foule qu'il s'adresse, à la
foule bigarrée que traversent mille courants d'idées,
remuée d'émotions jamais contenues. Cette foule
bruyante, secouée par tant de révolutions, s'intéresse
aux notions scientifiques, se mêle de politique, de
finances, d'affaires. A public nouveau, langage nouveau. Et Taine de conclure « qu'il y a un nombre infini
de styles... autant que de siècles, de nations et de grands
esprits... la prétention de juger tous les styles d'après
une seule règle est aussi énorme que le dessein de réduire
tous les esprits à un seul moule et de reconstruire tous
les siècles sur un seul plan... Evidemment cet homme,
quoi qu'on ait dit et quoi qu'il ait fait, savait sa langue ;
même, il la savait mieux que personne ; seulement il
l'employait à sa façon ».

Tout le monde sait quels efforts prodigieux consumait
Balzac pour atteindre ce qu'il croyait être la perfection
du style : Théophile Gauthier, Desnoiresterres ont raconté
de quelles corrections, surcharges, ratures il couvrait les
épreuves d'imprimerie : une feuille « devenait un tohu-
bohu de renvois, un labyrinthe ». Elle était sabrée de traits
brefs et nerveux, criblée de surcharges, zébrée de lignes,
constellée de signes. Selon Th. Gauthier, « on eût dit
le bouquet d'un feu d'artifice dessiné par un enfant ».
Balzac exigeait sans cesse des épreuves successives : il
les remaniait constamment, si bien qu'il était la terreur
des ouvriers typographes — mais aussi des éditeurs,
à cause des frais énormes que coûtent ces retouches.
Il arrivait qu'après ces modifications, la cinquième ou

sixième épreuve n'avait pas conservé un mot du texte
primitif. *Pierrette*, prétend Desnoiresterres, ne fut tirée
qu'après la vingt-septième épreuve. Cette application
gâtait souvent son style : il arrivait que la première
rédaction l'emportait sur la dernière. Il ne sut point
toujours éviter, comme le recommandait La Fontaine,

un soin trop curieux,
Et des vains ornements l'effort ambitieux
. . . .
Un Auteur gâte tout en voulant *trop* bien faire.

Cette boutade de Stendhal ne manque pas d'à-propos :
« Je suppose qu'il fait ses romans en deux temps, d'abord
raisonnablement, puis il les habille en style néologique
avec les *pâtiments* de l'âme, *il neige dans mon cœur*
et autres belles choses ».

Après Taine, les critiques n'ont guère fait que reprendre
ses jugements, les uns, comme Faguet, pour aggraver
les défauts, les autres, comme Talmeyr, pour exalter
les qualités de ce style, que d'aucuns louent et blâment
dans un même paragraphe. Brunetière en souligne la
convenance avec l'époque. Bellessort, avec une verve
enthousiaste en vante la vie, la couleur, le vocabulaire
étonnamment riche qui se plie aux rapports les plus
imprévus entre les choses et les êtres. Après avoir démontre la puissance de ce verbe prodigieux dans le portrait
du cousin Pons, il en commente les expressions avec
une justesse et un bonheur qui emportent notre assentiment et notre admiration, et nous admettons volontiers
sa conclusion : « Nous n'avions rien de comparable
dans notre littérature ». Cette critique ne se satisfait plus
d'appréciations générales, de banalités : elle pénètre
sa matière, elle soulève une à une les merveilles, trou-
vailles de mots, par lesquelles vingt notions projettent
sur le personnage, les faisceaux de couleurs les plus
variées. Ces rayons traversent son corps et font apercevoir les causes de sa manie, de sa faiblesse — il est gour-
mand — de ses infortunes futures. Devant ce résultat,

on ne pense plus que Balzac « manque de style ». Désormais on voudra jouir de cette magie verbale. On ne prend plus le temps de sourire quand passent quelques impropriétés ou quelques autres vétilles, insupportables aux grammairiens : fétus que les yeux ne distingent plus dans les bouillonnements du torrent lancé par un génie inspiré et sûr de ses effets.

Il est trop aisé de s'arrêter à ce qui est critiquable dans le style de Balzac. Personne ne conteste qu'il y ait dans son œuvre immense des passages condamnables. Ne voir que ceux-ci, y insister au détriment des pages très nombreuses où sa maîtrise d'expression atteint l'art parfait, n'est-ce pas céder à une tentation dénigrante ? Des critiques faillirent ainsi : Sainte-Beuve, Pontmartin, Caro, Lanson, Faguet, etc... Taine a réhabilité l'écrivain. Son initiative intelligente ouvrit la voie à des enquêtes plus équitables. Paul Flat, dans ses *Seconds Essais sur Balzac*, montre comment les tendances du romancier, son don visuel, sa puissance d'observation et d'émotion, sa curiosité scientifique et philosophique, le fourmillement de ses connaissances, son imagination sympathisant avec toutes les formes de la vie sensuelle et morale, ses intuitions poétiques, tous moyens servis par une richesse verbale extraordinaire, assuraient à Balzac la précellence du génie. Quand il écrivait, l'abondance de ses points de vue exigeait une tension dans l'effort qu'on sent en le lisant. Mais cet effort sauvegardait son talent d'écrivain, le maintenait au niveau des artistes les plus accomplis. Quand cet effort n'aboutissait pas, la plume vacillait, chancelait, se traînait lourdement : on pense à l'homme égaré sur un terrain marécageux. Pour ingénieuse qu'elle soit, cette raison psychologique ne quitte pas les arcanes spéculatives, et, n'apportant rien de positif, ne fait pas avancer la connaissance.

Il faut souhaiter que la critique persévère dans la voie où l'a engagée M. Gilbert Mayer avec son étude approfondie, *La Qualification affective dans les romans d'Honoré de Balzac*. Il montre que l'écrivain a su varier ses effets par l'emploi des épithètes ; Balzac tâchait de rendre des nuances à l'infini ; il créait au besoin des alliances de mots pour noter les degrés de qualité, pour renforcer un trait fugitif. Il arrivait ainsi à calquer la réalité, ne reculant jamais davant l'emploi des locutions populaires. Délibérément, spontanément, mû par une nécessité que lui impose son avidité du vrai, par sa soumission au destin où l'intuition poétique entraîne ses personnages, il abandonne la langue purement littéraire. « Plus soucieux de créer un monde que de créer un style, dit M. Gilbert Mayer, Balzac se fie au génie propre de la langue la plus usuelle qu'il sait capable d'exprimer toutes les idées même les plus hautes, de traduire toutes les émotions, comme le prouve surabondamment la pratique quotidienne de la vie. » Stendhal, George Sand, Mérimée, sont encores très prudents dans l'emploi de la langue courante, et restent les usagers de la langue littéraire.

Balzac ne connaît qu'une langue ; du courant de la vie, il l'introduit dans le courant littéraire. C'est justement quand il revient au style convenu, pour ses morceaux de bravoure, pour ses tirades d'auteur, travaillées, frisées, polies, huilées qu'il s'exprime d'une manière ampoulée, grandiloquente : c'est un Balzac artificiel. On ne pourra porter un jugement d'ensemble qu'après avoir exploré le langage particulier attribué dans *La Comédie Humaine*, aux divers milieux sociaux ; la haute société, la bourgeoisie, le peuple ; et pour chacun d'eux, aux catégories qui les composent. Il faudrait encore contrôler les vocabulaires techniques ; médecine, jurisprudence, prêtrise, marine, peinture, imprimerie, etc... le parler paysan *(Curé de Village, Les Paysans)* où la prononciation déformante pèche souvent par l'emploi de trucs et de conventions (le *n* qui précède les mots à voyelle initiale chez la Mère Cibot *(Cousin Pons)*, et l'étrange sabir de Schmucke *(Cousin Pons)* ou de Kolb *(Illusions Perdues)*. Je fais mien ce jugement de M. Dagnaud : « Il n'y a pas un style de Balzac, mais des styles de Bal-

zac. Il est vraisemblable *a priori* qu'une étude scientifique des faits dégagerait un système de procédés stylistiques fondamentaux, mais ce système est susceptible
d'une foule d'adaptations particulières » (1). Nous avons
eu l'occasion de les distinguer au cours de cette étude :
Balzac-paysagiste, Balzac-portraitiste, Balzac-peintre du
bagne, Balzac-*dialogiste* admirable de naturel et de
pathétique. Le Balzac-galimatia n'affecte qu'un tout
petit canton de *La Comédie Humaine* : il est ridicule de
l'ériger en lieu commun. Le « Balzac écrit mal » a vécu ;
cette venimeuse formule se tapit de plus en plus dans
l'ombre devant la triomphante diversité d'un style qui
sait être ferme ou flexible, brutal ou insinuant, rayonnant
ou voilé de mystère, à ses heures, quand il le faut et comme
il le faut, suivant les gens et les situations : il est fascinant.
Cette diversité, phénomène unique dans la littérature
française, s'est modelée sur la vie qui ne se déroule jamais
sans saccades et sans heurts. Cette étonnante diversité
dans la grandeur n'a point encore provoqué d'émule.

Cette diversité se manifeste dans les *Contes Drolatiques* : réussite extraordinaire, mais exceptionnelle dans
la Littérature moderne. Taine en trouvait le « style admirable et original, tout semblable aux carnations de
Jordaëns » : Comparaison reprise et développée par
plusieurs critiques. Il ne faut pas considérer ces dixains,
comme une reconstitution archéologique, une imitation
scientifique de la langue du XVIᵉ siècle. Balzac a forgé
la sienne en s'inspirant de plusieurs siècles et du moyen
âge. Il en a gardé la verdeur et la forte saveur, les audaces.
Rabelais, qu'il avait beaucoup lu, lui a légué certains
procédés stylistiques tels que les accumulations ver-
bales, indice d'un vocabulaire très riche. Il importe de
souligner les rapports de cette langue avec les disposi-

(1) Je tiens à remercier ici MM. Dagnaud, assistant à la Faculté
des Lettres de Paris et Gilbert Mayer, professeur à la Faculté des
Lettres de Rennes, de l'aimable empressement qu'ils ont mis à me
faire profiter de leur compétence et de leurs recherches sur le style
et la langue de Balzac.

tions natives du conteur : ardeur de vie, exhubérance sensuelle des instincts, désirs de débridement et de jouissance. Ce débordement s'épanche en cette langue bigarrée, charnelle et charnue, d'une surabondante vitalité, qu'on a qualifiée d'animale. On évoque « le sanglier joyeux » dont parle Théophile Gauthier. Et pourtant, l'on a pu noter dans certains contes, que Balzac avait fait passer, à travers ces débauches, ces peintures osées et lascives, ces « chauds jects de vie », des nuances sentimentales, parées de mélancolie, de sagesse morale, où se retrouvent certaines qualités de style qui frappent dans *La Comédie Humaine.*

CONCLUSION

LA MORALITÉ ET L'INFLUENCE

« Le temps de l'impartialité n'est pas encore venu
pour moi », écrivait Balzac en 1842, dans l'*Avant-Propos*
de *La Comédie Humaine*. Il s'était plaint souvent que ses
travaux fussent « peu compris, peu appréciés ». Oui,
en France, mais non pas à l'étranger où son talent
recevait les témoignages enthousiastes d'admiration,
parfois « fabuleux », disait Sainte-Beuve, et c'était « vrai ».
On peut en lire le détail dans une plaquette de M. Marcel
Bouteron consacrée au *Culte de Balzac*. En Italie, en
Russie, en Autriche, en Pologne, en Allemagne, en
Hongrie le romancier, souvent en personne, fut l'objet
de très flatteuses, touchantes et ferventes attentions.
Ces marques de vénération prouvaient l'influence profonde exercée par ses romans, non seulement sur les
idées, mais sur les mœurs qu'elles pénétraient : on copiait
les faits et gestes des personnages pour en éprouver les
sentiments et parfois reproduire leurs aventures. Encore,
ne faut-il pas oublier avec quelle ardeur le public féminin français, grisettes, bourgeoises, grandes dames, se
passionnaient pour *leur* romancier : les milliers de lettres
qu'il reçut d'elles ne sont pas un mythe. L'immense
succès de Balzac lui vint par les femmes : elles trouvaient
en lui un confident, un consolateur. Cette conquête,
cette emprise lui furent reprochées avec une sorte de

hargne, par des critiques catholiques tels que Pontmartin ;
par Caro, et par d'autres, plumitifs sans intelligence ;
par le libéral Lerminier (et de nos jours encore par André
Lebreton).

Balzac, sensible à ce reproche, qu'on lui lançait sans
cesse, y avait répondu en 1842 dans l'*Avant-Propos* de
La Comédie Humaine. On lui en voulait d'avoir mis à nu
tant d'ignominies secrètes et vigoureusement entrete-
nues, tant d'hypocrisies mondaines. Son audace fâchait
ceux qui avaient avantage à dérober leurs faiblesses et
leurs vilenies sous un conformisme utilitaire. Il se défendit
chaleureusement et non sans adresse dans la réponse qu'il
fit à Hippolyte Castille, lequel admirait son talent, mais
s'attristait de voir tant de types corrompus assombrir
l'univers balzacien. L'argumentation de Balzac pourrait
se résumer dans cette phrase : « Est-ce ma faute à moi
si sur terre les représentants du vice abondent. Seul le
Souverain Juge fera le décompte des bons et des mauvais, des pures *brebis et des boucs* ». Balzac est moral
parce qu'il fait réfléchir son lecteur. « Si, lisant *La Comédie
Humaine*, un jeune homme trouve peu blâmable les Lousteau, les Lucien de Rubempré, etc., ce jeune homme
est jugé. Quiconque n'aime pas mieux, au lieu d'aller
à la fortune comme les roués et les fripons, jouer le rôle
de l'honnête Birotteau, ressembler à M. d'Espard, le
héros de *L'Interdiction*, agir comme *Le Médecin de Campagne*, se repentir comme Mme Graslin, être un digne
juge comme Popinot, travailler comme les David Séchard
et les d'Arthez, etc., enfin se modeler sur les bons et les
vertueux, semés dans *La Comédie Humaine* avec plus
de profusion que dans le monde réel, celui-là est un homme
sur qui les livres les plus catholiques, les plus moraux
ne feront rien ». Balzac a eu la force de dire la vérité sur
l'état des mœurs, de s'en prendre aux riches, aux puissants. On lui a reproché de s'être laissé accaparer par la
peinture des laideurs morales. Mais en regard des
créatures sinistres, on peut aligner tant de figures idéales
transfigurées par l'amour filial, le dévouement conjugal,

la charité. Pour porter un jugement équitable sur la
moralité de *La Comédie Humaine,* cela supposerait qu'un
esprit fût capable d'une synthèse embrassant d'un seul
coup cette épopée de gigantesques proportions, et qu'il
transmuât en quelques principes métaphysiques l'aper-
ception d'un tel grouillement humain, où les uns cèdent
aux complicités obscures de tant de forces animales,
où les autres luttent victorieusement contre les convoitises. On criait jadis contre le maléfice de *La Fille aux
yeux d'Or.* Qui donc oserait nier que l'humanité déchue,
n'en offre pas à notre époque, la réplique dans *la Gazette
des Tribunaux* ? Lucien de Rubempré est un échantillon
par anticipation du style *zazou.* Qui donc niera que
*L'Interdiction, La Messe de l'Athée, César Birotteau, Le
Médecin de Campagne, Pierrette, L'Envers de l'Histoire
Contemporaine,* ne soulèvent le meilleur de notre être,
notre âme, vers les sommets du bien, dans une atmosphère toute spirituelle. Il n'y a pas que des vulgarités
et des bassesses, des trivialités dans *La Comédie Humaine* ;
il n'y a pas « l'apologie du mal », quoi qu'en ait dit le
Comte Armand de Pontmartin. Comme le spectacle de
la vie, elle offre le bien et le mal. A chacun de choisir
sa compagnie. Il vient un âge dans l'existence où les
obligations vous mêlent aux bons et aux mauvais. La
vertu consiste à maintenir son jugement et sa volonté
dans ce qu'on croit être le bien : c'est la lutte entre la
chair et l'esprit, sanctionnée par le Christ. Nous nous
adressons ici à des esprits cultivés pour qui la beauté
n'existe pas sans la vérité (1). La fausseté, la fadeur, la
platitude du convenu ne sont pas un climat propre à
déterminer l'estime. L'esthétique digne de ce nom ne
peut se fonder sur des préjugés. Il faut se réjouir que
l'heure de l'impartialité, si longtemps attendue par
Balzac, ait sonné. Autour de son œuvre se rassemblent
les intelligences, animées par le seul souci de dégager

(1) Balzac figure au Catalogue de l'Index : « Honoré de Balzac,
omnes fabulae amatoriae ». (Décrets de la Congrégation de l'Index,
16 septembre 1841, 28 janvier 1842, 20 juin 1864).

ce qu'elle comporte d'humain et de divin, de dynamisme vital et de splendeur artistique.

Le temps est passé où l'on traitait *La Comédie Humaine* de recueil érotique. L'un de ses mérites, c'est justement de nous offrir d'autres romans que ceux de l'amour : jusque-là c'était cette seule passion qui était l'âme du roman. Balzac voulut les empreindre toutes et dans toutes leurs variétés ; nous l'avons démontré. Ainsi, jeta-t-il en pâture au talent de ses continuateurs une matière immense et plus dense. Son influence littéraire s'exerça de son vivant.

Balzac, père du réalisme, avait montré que le réel a une valeur esthétique et morale. Ceux qui vinrent après lui, Flaubert, Maupassant, les Goncourt, Daudet, Zola, tout en gardant leur originalité, continuèrent de chercher leurs sujets dans le monde qui les entourait, dans leurs expériences personnelles. Cette influence s'étend très loin, envahit l'univers intellectuel. M. E. R. Curtius dans son *Balzac*, consacre un chapitre entier à le démontrer.

Il n'est pas permis d'ignorer que l'érudition balzacienne a eu pour pionnier le vicomte Spoelberch de Lovenjoul, dont la généreuse ténacité accumula ce qu'on pourrait appeler les *Archives balzaciennes* ; c'est un trésor de documents dont il fit don à l'Institut de France. Son *Histoire des Œuvres de Balzac* est une somme de renseignements indispensables, dont aucun balzacien, aucun historien littéraire ne peuvent se passer.

Le culte de Balzac a trouvé de fervents adeptes aux Etats-Unis. Ils se sont attachés spécialement aux méthodes techniques du romancier : nous leur devons des études précieuses qui ont fait avancer la connaissance d'un art aux ressources insoupçonnées.

Si l'on voulait être complet, il faudrait ne pas laisser de côté l'influence de Balzac sur les idées politiques et sociales, au début du xxe siècle. Balzac, continuateur de Bonald et de Joseph de Maistre ; tel est l'aspect que Paul Bourget met en relief, tandis que des écrivains socialistes puisent dans son œuvre des ferments de rénovation et de progrès sociaux.

Cette rencontre d'opinions contradictoires ne montre-t-elle pas qu'avant tout, *La Comédie Humaine* est le microcosme qui reproduit dans sa grandeur et sa diversité, l'image réelle et palpitante de l'Humanité ? Aussi chacun de ses lecteurs finit-il par être envoûté devant cet art qui tient de la magie : il est fasciné. Et parce que Balzac transmue en poésie les misères et les joies — les nôtres — non seulement nous admirons l'écrivain, mais nous vouons à l'homme, malgré ses défauts, un sentiment d'amitié et de reconnaissance.

TABLEAU CHRONOLOGIQUE
DES ŒUVRES

COMPOSANT

LA COMÉDIE HUMAINE

d'après l'ordre dit traditionnel, avec la date
de leur action, et la date de leur publication (1)

A. — *ÉTUDES DE MŒURS*

I. — SCÈNES DE LA VIE PRIVÉE

ACTION		PREMIÈRE PUBLICATION
Avant 1815	La Maison du Chat-qui-pelote	1830
1819	Le Bal de Sceaux..........	1830
1825-1833	Mémoires de deux Jeunes Mariées	1841-1842
1819	La Bourse	1832
1829	Modeste Mignon............	1844
1822-1838	Un Début dans la Vie......	1842
1834-1835	Albert Savarus............	1842
1800-1815	La Vendetta...............	1830
1806-1833	Une Double Famille.......	1830
1809	La Paix de Ménage........	1830
1822-1824	Madame Firmiani..........	1832
1822	Étude de Femme...........	1830
1835-1842	La Fausse Maîtresse.......	1841
1833-1834	Une Fille d'Eve...........	1830-1839
1819	Le Message...............	1832
1820	La Grenadière............	1832

(1) D'après le tableau dressé par Ethel PRESTON, *Recherches sur la Technique de Balzac*, pp. 276-278, et d'après le tableau dressé par Marcel BOUTERON, dans son *Introduction à l'édition de la « Comédie Humaine »*, 1935, la Pléiade, N. R. F., pp. XXIV-XXVI.

IV. — SCÈNES DE LA VIE POLITIQUE

PETITE NOTICE BIBLIOGRAPHIQUE

I. — *ÉDITIONS*

Deux éditions critiques : 1º *Œuvres complètes*, édition illustrée, texte révisé et annoté par Marcel Bouteron et Henri Longnon, 40 vol. in-8º. Paris, Conard, 1912-1940. 2º *La Comédie Humaine*, édit. de *la Pléiade*, 10 vol. in-12, avec une *Introduction* sur l'histoire de l'Œuvre, *Balzac et la Comédie Humaine*, par Marcel Bouteron. Cette préface présente des tableaux qu'il est indispensable de consulter. 3º La Bibliothèque Charpentier, a publié un certain nombre de romans, texte critique, annoté par M. Allem. Pour une étude un peu poussée, il faut lire : 1º *Letters to his family* 1809-1850 (Balzac), éd. Walter Scott Hastings, Princeton University Press, Introduction et notes, 1934, in-8. 2º *Lettres à l'Etrangère*, 1833-1846, texte révisé et annoté par Marcel Bouteron, 3 volumes parus, Calmann-Lévy, in-8º. Un complément, année 1847, dans la *Revue de Paris*, 15 avril, 1ᵉʳ septembre, 15 septembre 1933. 3º *Correspondance de Balzac avec Zulma Carraud*, publiée et annotée par Marcel Bouteron, Colin, 1935, in-12. Pour une étude très approfondie, *Cor- respondance de Balzac avec la duchesse de Castries, avec le Dʳ Nacquard*, etc., contenue dans les *Cahiers Balzaciens*, nᵒˢ 1-8, par Marcel Bouteron, 1923-1928, Lapina, in-8º.

II. — *OUVRAGES GÉNÉRAUX*

Vicomte Charles de Spoelberch de Lovenjoul, *Histoire des Œuvres d'Honoré de Balzac*, 3ᵉ édition, Paris, Calmann-Lévy, 1888, in-8º ; indispensable pour une étude approfondie, même d'un roman particulier. — Anatole Cerfberr et Jules Christophe, *Répertoire de la Comédie Humaine*, avec une introduction de Paul Bourget, Paris, Calmann-Lévy, 1887, in-8º : liste alphabétique avec une

notice biographique des personnages de *La Comédie Humaine*. —
E. Preston, *Recherches sur la Technique de Balzac, Le Retour systématique des personnages dans la Comédie Humaine*, Les Presses
Françaises, 1926, in-12 carré : cet ouvrage complète le précédent,
avec des vues originales sur la *reparution* des personnages. — J. Mer-
cier, *Etat présent des Etudes Françaises sur H. de Balzac, Cahier
de Neuilly*, no 2 (1942), Librairie Médicis : guide très pratique et
succinct. — Pour une étude très approfondie, William Hobart
Royce, *A Balzac Bibliography*, Chicago, 1929, in-8o, 3 vol. ; nomenclature par ordre alphabétique de 4.010 livres et articles écrits sur
Balzac.

III. — BIOGRAPHIES

André Billy, *Vie de Balzac*, 2 volumes in-8o, illustrés, Paris, Flam-
marion, 1944. Véritable somme qui montre le développement de
l'œuvre, et renseigne année par année sur la vie de Balzac : il n'y a
pas de meilleure initiation balzacienne. Il faut en dire autant des
ouvrages de L.-J. Arrigon, *Les Débuts Littéraires d'Honoré de
Balzac*, Perrin, 1924, in-12 ; *Les Années romantiques d'Honoré de
Balzac*, 1927, in-12 ; *Balzac et la Comtessa*, Portiques, s. d., in-12.
Ces trois volumes suivent les activités diverses de Balzac, année
par année, de 1818 à 1839.

Il sera très utile, sinon indispensable, de lire : Gabriel Hanotaux
et Georges Vicaire, *La Jeunesse de Balzac, Balzac Imprimeur,
1826-1828, Balzac et Madame de Berny*, nouv. édit., Ferrou, 1921,
in-8o. On complètera l'étude du roman Balzac-Berny, par G. Ruxton,
La Dilecta de Balzac, Plon-Nourrit, 1909, in-12. — *Les Comptes Dramatiques de Balzac*, par René Bouvier et Edouard Maynial, ne
laissent rien ignorer des difficultés financières de Balzac, elles sont
la clef de son surmenage, de sa production et de son tempérament.
Enfin *la Véritable Image de Madame Hanska*, par Marcel Bouteron, ill., Lapina, 1829, in-12, — et *Balzac et le Monde Slave, Madame
Hanska et l'Œuvre Balzacienne*, par Sophie de Korwin-Piotrowska
ill., Champion, 1933, in-8o, sont indispensables pour connaître le
rôle important de *l'Etrangère*.

IV. — OUVRAGES CRITIQUES

Dans cette forêt dense de la critique balzacienne, distinguons :
Théophile Gautier, Sainte-Beuve, Taine, Brunetière, Bellessort,
dont nous avons parlé au cours de notre étude. Il sera facile de trouver les indications dans les Bibliographies susdites.

A signaler trois ouvrages récents qui ont orienté la recherche balzacienne vers les secrets et la genèse de la création littéraire : Albert PRIOULT, *Balzac avant la Comédie Humaine* 1818-1829, Courville, 1936, in-8°. — Maurice BARDÈCHE, *Balzac Romancier*, Plon, 1940, in-8°. — Gilbert MAYER. *La Qualification affective dans les Romans d'Honoré de Balzac*, Droz, 1940, in-8°.

Si l'on veut étudier *La Comédie Humaine*, du point de vue philosophique, il sera utile de lire le *Balzac* d'Ernst CURTIUS, traduit par Henri Jourdan, Grasset, 1933, in-8°, — *Balzac et la Religion*, de Ph. BERTAULT, Boivin, 1942, in-8°.

Mentionnons aussi un excellent volume d'initiation, *H. de Balzac, Morceaux choisis*, avec une Introduction et des notes de Joachim MERLANT, édit. H. Didier, ill., in-12. La notice biographique et littéraire offre de l'homme, de l'écrivain, de ses méthodes de travail, un tableau d'une saisissante vérité. Les commentaires offrent une mine de renseignements documentaires.

Souhaitons de pouvoir lire bientôt, dans la suite de l'*Histoire de la Langue française des origines à 1900*, de Ferdinand BRUNOT, le chapitre consacré à Balzac.

TROISIÈME PARTIE

TECHNIQUE

psychophysiologiques. — Développement logique d'un caractère : sa rupture avec les données créatrices ; l'abbé Birotteau, sa lettre à son frère le parfumeur. — Sa dépendance d'une loi métaphysique : le *Fatum*. — Rôle poétique de la passion : permanence des caractères dans leur continuité morale, mais dans une vivante diversité : les avares de *la Comédie Humaine*. — Les retours d'Henri de Marsay : développement logique d'un caractère. — Les passions de l'amour. — La passion et le romanesque social.

IMPRIMERIE F. PAILLART

ABBEVILLE

O. P. L. 31.0832

(D. 1153)

Dépôt légal : 1er *Trim.* 1947

N^o d'Editeur : 36

PAUL HAZARD

de l'Académie française

LA PENSÉE EUROPÉENNE

AU XVIIIᵉ SIÈCLE

DE MONTESQUIEU A LESSING

TABLE DES MATIÈRES

*L'ouvrage in-8° carre, illustré se compose de deux tomes de texte
(vendus ensemble)* .... 525 fr.
et d'un tome de Notes et Références (vendu séparément). 175 fr.